KB163976

NEW 서울대 선정 인문고전 60선

16
베르그송 창조적 진화

NEW 서울대 선정 인문 고전 ⑯
(만화) 베르그송 창조적 진화

개정 1판 1쇄 발행 | 2019. 8. 21
개정 1판 2쇄 발행 | 2021. 9. 27

손영운 글 | 이남고 그림 | 손영운 기획

발행처 김영사 | 발행인 고세규
등록번호 제 406-2003-036호 | 등록일자 1979. 5. 17.
주소 경기도 파주시 문발로 197 (우10881)
전화 마케팅부 031-955-3100 | 편집부 031-955-3113~20 | 팩스 031-955-3111

값은 표지에 있습니다.
ISBN 978-89-349-9441-1
ISBN 978-89-349-9425-1(세트)

좋은 독자가 좋은 책을 만듭니다. 김영사는 독자 여러분의 의견에 항상 귀 기울이고 있습니다.
전자우편 book@gimmyoung.com | 홈페이지 www.gimmyoungjr.com

이 도서의 국립중앙도서관 출판예정도서목록(CIP)은 서지정보유통지원시스템 홈페이지(http://seoji.nl.go.kr)와
국가자료종합목록시스템(http://www.nl.go.kr/kolisnet)에서 이용하실 수 있습니다. (CIP제어번호 : CIP2018042489)

어린이제품 안전특별법에 의한 표시사항
제품명 도서 제조년월일 2021년 9월 27일 제조사명 김영사 주소 10881 경기도 파주시 문발로 197
전화번호 031-955-3100 제조국명 대한민국 ⚠주의 책 모서리에 찍히거나 책장에 베이지 않게 조심하세요.

미래의 글로벌 리더들이 꼭 읽어야 할 인문고전을 **만화**로 만나다

NEW 서울대 선정 인문고전 60선

16

베르그송 창조적 진화

손영운 글 · 이남고 그림

주니어김영사

〈NEW 서울대 선정 인문고전60〉이 국민 만화책이 되기를 바라며

제가 대여섯 살 때 동네 골목 어귀에 어린이들에게 만화책을 빌려주는 좌판 만화 대여소가 있었습니다. 땅바닥에 두터운 검정 비닐을 깔고 그 위에 아이들이 좋아하는 만화책을 늘어놓았는데, 1원을 내면 낡은 만화책 한 권을 빌릴 수 있었지요. 저는 그곳에서 만화책을 보면서 한글을 깨쳤고 책과의 인연을 맺었습니다.

초등학교 때는 용돈을 아껴서 책을 사서 읽었고, 중학교 때는 학교 도서 반장을 맡아 도서관에서 매일 밤 10시까지 있으면서 참 많은 책을 읽었습니다. 그 무렵 헤밍웨이의 《노인과 바다》를 손에 땀을 쥐며 읽으면서 인생에 대해 고민했고, 헤르만 헤세의 《수레바퀴 아래서》를 읽으며 사춘기의 심란한 마음을 달랬습니다. 김래성의 《청춘 극장》을 밤새워 읽는 바람에 다음 날 치르는 중간고사를 망치기도 했습니다.

당시 저의 꿈은 아주 큰 도서관을 운영하는 사람이 되어 온종일 책을 보면서 책을 쓰는 작가가 되는 것이었습니다. 나이가 들고 어느 정도 바라는 꿈을 이루었습니다. 큰 도서관은 아니지만 적당한 크기의 서점을 운영하고, 글을 쓰는 작가가 되었거든요. 저는 여기에 새로운 꿈을 하나 더 보탰습니다. 그것은 즐거운 마음과 힘찬 꿈을 가지게 해 주고, 나아가 자기 성찰을 도와주는 좋은 만화책을 만드는 일이었습니다. 이렇게 해서 만든 책이 바로 〈서울대 선정 인문고전〉입니다. 서울대학교 교수님들이 신입생과 청소년들이 꼭 읽어야 할 책으로 추천한 도서들 중에서 따로 60권을 골라 만화로 만든 것입니다. 인류 지성사의 금자탑이라고 할 수 있는 고전을 보기 편하고 이해하기 쉽도록 만화책으로 만드는 일은 쉬운 일은 아니었습니다. 약 4년 동안에 수십 명의 학교 선생님들과 전공 학자들이 원서의 내용을 정확하게 전달할 수 있도록 밑글을 쓰고, 수십 명의 만화가들이 고민에

고민을 거듭하면서 만화를 그려 60권의 책을 만들었습니다.

〈서울대 선정 인문고전〉이 완간되었을 무렵에 우리나라에 인문학 읽기 열풍이 불기 시작했습니다. 〈서울대 선정 인문고선〉은 인문학 열풍을 널리 퍼뜨리는 데 한몫을 하면서 독자들의 뜨거운 사랑과 관심을 받았습니다. 덕분에 지금까지 수백만 권이 팔리는 베스트셀러가 되었습니다. 그 사랑에 조금이나마 보답을 하기 위해 《칸트의 실천이성 비판》, 《미셸 푸코의 지식의 고고학》, 《이이의 성학집요》 등 우리가 꼭 읽어야 할 동서양의 고전 10권을 추가하여 만화로 만들었습니다.

〈서울대 선정 인문고전〉은 어린이와 정소년이 부모님과 함께 봐도 좋을 만화책입니다. 국민 배우, 국민 가수가 있듯이 〈서울대 선정 인문고전〉이 '국민 만화책'이 되길 큰마음으로 바랍니다.

손영운

생명 질서의 관점에서
세상을 보자!

18세기 후반, 독일의 철학자 칸트는 인간을 '스스로 생각할 수 있는 존재'로 정의했고, 인간은 자연으로부터 받은 이성(理性)을 통해서 우주의 주인이 될 수 있다고 말했다. 이 말에 자신감을 얻은 인간은 이성의 힘으로 눈부신 과학기술 문명을 이루었으며 자신들의 삶을 풍요롭게 만들었다. 우주의 주인은 되지 못했지만 적어도 지구의 주인은 되었다. 하지만 인간은 정작 자신의 삶에서는 주인 노릇을 하지 못하고 있다. 오늘날 물질문명에 바탕을 둔 자본주의는 인간의 욕망을 끝없이 부추기고 인간은 생각 없이 따라갈 뿐이다.

19세기 후반, 프랑스의 철학자 베르그송은 우리의 삶이 물질적인 것에 종속된 이유를 이성 중심의 철학에서 찾았다. 그는 우주와 인간과 생명을 이해하는 데 이성은 크게 도움이 되지 않는다며 새로운 철학을 제시했다. 그동안 서양 철학이 인간의 이성에 바탕을 두어 분석적이고 합리적이었다면 베르그송의 철학은 통합적이고 직관적이었다. 베르그송은 인간과 생명의 근본에 있는 창조적인 본성을 분석적인 이성이 아니라 통합적인 직관으로 이해하려고 했다. 이러한 베르그송의 생각을 담아낸 책이 지금 우리가 볼 《창조적 진화》이다.

베르그송은 《창조적 진화》에서 세상의 모든 만물은 물리 질서와 생명 질서라는 두 종류의 질서로 이루어져 있고, 물리 질서와 생명 질서는 동전의 양면이라고 했다. 또한 기존의 철학과 과학은 이 세상을 물리 질서의 관점에서만 바라본다고 비판했다. 그는 생명 질서는 물리 질서에 맞서서 자유로움을 향해 나아가며, 죽음조차 극복하면서 새로운 것을 창조하는데 그 힘을 엘랑 비탈(elan vital, 생명의 도약)이라고 말했다. 베르그송은 폭죽

안에 있는 화약을 엘랑비탈에, 화약이 터지는 것을 막는 폭죽의 껍질을 물질에 비유했다. 그는 생물의 진화는 엘랑비탈과 이에 저항하는 물질과의 투쟁의 결과라고 했다. 엘랑 비탈이 있기 때문에 창조적 진화가 가능하므로 앞으로는 생명의 눈으로 이 세상과 우주를 바라봐야 한다고 주장했다.

1941년 베르그송이 세상을 떠났을 때, 프랑스의 시인 폴 발레리(Paul Valery)는 '사람들이 점점 덜 생각하고 점점 덜 성찰하는 시대, 문명은 부와 풍요를 기억하지만, 기난과 공포를 비롯한 보는 억압이 정신의 노력을 꺾어 버리고 좌절시키는 시대에 베르그송은 생각하는 인간의 높고, 탁월한 모습을 하고 있었다. 그는 특별하고, 깊이 있고, 탁월한 사유를 하는 최후의 인간 중이 한 명일 것이나.'라는 말을 했다.

발레리의 말은 70년이 지난 지금 우리에게도 의미심장하게 들린다. 과학기술의 발전은 언제나 새로운 법적, 윤리적 문제를 제기하는데, 인문학은 이 속도를 쫓아가지 못하고 있다. 정신의 노력을 꺾어버리는 이 시대에 우리에게는 의미 있는 몸부림이 필요하다.

베르그송의 《창조적 진화》를 읽고 독자들도 베르그송처럼 사유(思惟)하는 최후의 인간 대열로 들어서길 바란다. 부분적이고 분석적으로 보는 지성의 눈이 아니라 통째로 느끼고 교감하고 공감할 줄 아는 전인적인 인식의 틀을 갖춘 사람이 되길 바란다. 그래서 안식의 삶을 유보당하고 물리 질서의 소용돌이에 내동댕이쳐진 자신을 발견하고 이를 극복하는 생명 질서의 원리를 깨닫는 기회를 얻길 바란다.

손영운

어느새 내 곁에 자리잡은 창조적 진화

베르그송……. 처음 이 사람의 이름을 듣고 《창조적 진화》를 만화로 만드는 작업을 시작할 때는 그리 어렵게 생각하지 않았스니다.

처음 원고를 시작한 때가 가을쯤인 듯한데, 그때부터 나와 동거를 시작한 녀석이 있었습니다. '쿠로'란 이름으로 불리는 검은색 수토끼였지요.

이 토끼 역시 키우는 데 그리 어려움이 있을 거란 생각은 하지 않았습니다. 조그맣고 귀엽기만 한 녀석은 옹알이도 하지 못할 정도였거든요. 그런데 이런 내 생각이 곧 틀렸다는 사실을 깨달았죠.

토끼가 개처럼 사람 말을 잘 알아들으리란 기대를 한 것은 아니었습니다. 말도 못 알아듣는 데다 주인을 못 알아보는 듯했으니 말입니다. 그런데 좀 자라자 벽지를 물어뜯고 전선이란 전선은 다 갉아대는 것이 아닙니까? 우리 밖으로 꺼내주기가 두려울 정도였지요. 내가 평소에 생각하고 있던 토끼란, 그냥 귀가 커서 소리에 민감하고 겁이 많다는 정도였거든요.

《창조적 진화》란 작품을 처음 시작할 때도, 처음 토끼를 마주 할 때처럼 그저 만만하게 생각했습니다. '창조'란 말도 그렇고 '진화'란 말도, 듣기엔 그리 어렵게 느껴지지 않았으니까요. 하지만 이런 내 생각은 책을 잡고 얼마 지나지 않아 사라져 버렸습니다. 단어들과 그 내용들이 너무나 난해하고 일반적이지 않았기 때문이었죠.

다시 말해 내가 생각한 창조나 진화란 말과는 너무나도 거리가 먼 학문적이고 어려운 이야기들뿐이었습니다.

창조의 힘을 엘랑 비탈이란 생소한 말로 표현하는가 하면, 시간은 지속의 시간이라 하여 진짜 시간과 가짜 시간으로 구별하는 겁니다. 게다가 과학적인 것이나 수학적인 것 또한 진짜는 아니라고 말하니 늘 수학이나 과학적인 혜택을 받고 살아온 나로선 난감할 수밖에 없었습니다. 그만큼 베르그송이 이야기하고 있는 창조적 진화는 너무 낯설어, 내 머릿속을 하얗게 만들어 버리기에

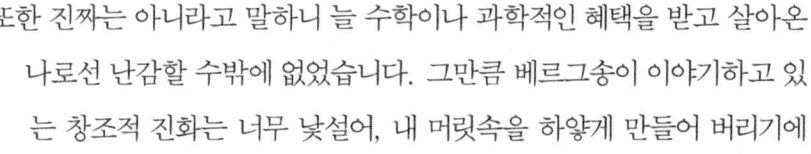

충분했습니다.

그러나 지금 나는 쿠로와 아주 친밀해졌고 녀석은 내 책상 밑에서 잠을 자고 있습니다. 이처럼 《창조적 진화》의 어려운 내용들도 오래지 않아 친해질 수 있었습니다. 친해지자 내용이 재미있어지고 많이 알고 싶어지더군요. 전작 《도덕경》을 할 때보다 시간은 두 배로 걸려 어려움은 있었지만 그만큼 재미있고 보람 있었던 작품입니다.

이 책을 읽는 여러분도 처음에는 어려울지 모르지만 약간의 인내만 있다면 베르그송 아저씨와 친해질 수 있을 겁니다. 그렇게 친해진 베르그송 아저씨로부터 여러분 자신의 내면 속 '엘랑 비탈'을 찾아 보시길……

이남고

《창조적 진화》는 어떤 책인가?

1장

상대성이론으로 유명한 아인슈타인의 연구실 모습이야.

흐흐, 아인슈타인 박사님 책상 지저분한 것이 나와 똑같군.

인류 최고라는 과학자의 연구실치고는 서가가 참 초라하지?

제대로 꽂혀 있는 책이 별로 없네?

학자들은 책이나 논문에 동료들의 것을 많이 인용하는 편이야.

보통은 그렇지.

그러나 아인슈타인이 쓴 책이나 논문에는 다른 과학자들의 책이나 논문을 인용한 부분이 거의 없지.

내 생각과 비슷한 책을 찾기가 힘들어.

그건 아인슈타인의 이론이 워낙 독창적이기 때문일 거야.

한번 알아볼까?

아인슈타인은 1905년에 발표한 특수상대성이론에서 '움직이는 물체 안에서 시간은 천천히 간다.'고 했어.

말도 안 되는 소리야. 시간이 어떻게 지 마음대로 빨랐다 느렸다 할 수 있어?

선배님. 말이 되는 소리입니다. 이를 '시간 지연(time dilation)'이라고 합니다.

아인슈타인 이전의 과학자들은 모든 관찰자에게 보편적으로 적용되는 절대적인 시간만 있다고 생각했지.

그러나 아인슈타인의 생각은 옳았어. 실험으로 증명이 되었기 때문이야.

1972년 미국 과학자들이 아주 빠르게 날아가는 제트비행기의 원자시계와 제자리에 고정되어 있는 해군 관측소의 원자시계의 시간을 비교했는데, 이때 비행기 안의 시간이 느렸던 것으로 확인되었거든.

정말 움직이는 물체 안에서는 시간이 늦게 가네?

뿐만 아니야. 아인슈타인은 아주 빠르게 움직이는 물체에서 다른 물체를 보면 다른 물체의 길이가 줄어드는데 이를 길이 수축(length contraction) 이라고 했어.

뭐야? 이번에는 길이가 수축된다고? 내 머리로는 도저히 이해가 안 되는 이야기야.

또한 아인슈타인은 1916년에 발표한 일반상대성이론에서 중력이 강한 곳의 시간은 중력이 약한 곳의 시간보다 느리다고 주장했지.

블랙홀 안에서는 시간이 흐르지 않습니다.

뭐야? 이번에는 시간이 흐르지 않는다고?

얼음!

이처럼 아인슈타인은 상대성이론 (특수상대성이론 + 일반상대성이론)으로 자연 세계를 바라보는 사고의 틀을 바꾸었어.

특수 상대성이론

일반 상대성이론

16세기에 코페르니쿠스가 지동설로 과학 혁명을 이루었듯이

태양을 중심으로 행성들이 공전을 하지.

아인슈타인은 20세기 초에 새로운 과학 혁명을 일으킨 거야.

그래서 사람들은 아인슈타인 이전의 물리학을 고전물리학, 이후의 물리학을 현대물리학이라고 해.

기준 / 고전 / 현대

어때? 아인슈타인이 다른 과학자들의 이론을 참고하거나 인용하지 않은 것이 이해가 되니?

아인슈타인은 다른 과학자들과 전혀 다른 사고의 틀을 가지고 자연 현상을 연구했기 때문에 다른 과학자들의 과학적인 성과를 참고하거나 인용할 필요가 없었던 것이지.

달라! 달라도 너무 달라!

20세기 초, 유럽의 철학계에서도 비슷한 일이 있었어. 주인공은 바로 베르그송이라는 프랑스 철학자야.

제가 쓴 철학 서적이나 논문을 보면 다른 철학자들의 연구 내용을 인용한 것이 거의 없습니다.

아인슈타인의 과학이 이전의 과학과 아주 달랐던 것처럼 베르그송의 철학도 이전의 철학과 매우 달랐기 때문이야.

우리와 다르다고?

네. 전 선배님들과 달라요.

베르그송이 쓴 《창조적 진화》라는 책을 보면 사유*의 틀 자체가 완전히 다르다는 사실을 알 수 있어.

창조적 진화 / 베르그송

저는 선배 철학자들이 만든 논의의 틀 안에서 문제를 해결하지 않았습니다. 저의 독창적인 철학으로 문제를 해결하고자 했습니다.

베르그송의 철학은 이전의 철학과 어떻게 다를까? 이를 알려면 이전 철학의 특성을 좀 알아야겠지?

우릴 다?

* 사유 : 인간의 이성 작용으로 대상에 대해 두루 생각하는 일

베르그송 이전의 철학을 모두 공부하기는 어려우니까 이전 철학계를 대표하는 인물인 임마누엘 칸트(Kant, Immanuel, 1724~1804)를 공부해 보자.

칸트는 독일의 철학자로 합리론과 경험론을 종합하여 근대 철학을 토대를 닦은 대(大)철학자야.

합리론 경험론

철학의 폭을 넓혀 주겠어.

잠깐! 합리론과 경험론이라는 게 뭐예요?

합리론은 서양 철학의 한 흐름인데, 인간은 태어날 때부터 이성을 가지고 있고, 경험은 이성이 본래부터 갖고 있던 지식을 일깨우고 보충해 주는 역할을 한다고 여기지.

아버지.

흠. 내가 바로 합리론자의 대표야. 사람들은 나를 근대 철학의 아버지라 불러.

관념론 유물론

데카르트(1596~1650, 프랑스 철학자)

반면에 경험론은 인간의 모든 지식은 경험을 통해서 얻는다고 주장하는 철학의 흐름이야. 대표적인 철학자로 베이컨을 들 수 있어

나는 경험론으로 과학과 기술을 발전시켜 풍요로운 미래를 만들고자 하는 원대한 꿈을 꾸었지.

경험론

베이컨(1561~1626, 영국 철학자)

칸트는 합리론과 경험론의 단점을 비판하고 장점을 잘 부각시켰지.

이 책을 읽어 보세요!

순수이성 비판

칸트

칸트는 인간이 사물을 인식하는 능력(이성)은 태어날 때부터 가지고 있으나 인식의 내용(재료)은 경험으로 얻어야 한다고 주장했어.

인간은 경험과는 상관없이 타고난 이성으로 보편적 진리를 깨달을 수 있습니다.

하지만 경험을 많이 할수록 올바른 인식을 하는 데 도움이 되지요.

논리 달인의 길

경험

직관이 없는 사유는 공허하고, 개념이 없는 직관은 맹목적입니다.

사유
직관
개념

칸트의 말에서 직관은 경험을 의미해. 이 말은 경험에 바탕을 두지 않은 사유는 내용이 없으므로 공허할 수 있다는 거야.

요리의 달인이 되겠어!

그리고 개념은 이성을 의미해. 이성이 없는 경험은 틀과 형식이 없어 맹목적이 될 수 있다는 말이지.

요리의 달인이…

그냥 올라와선 달인이 될 수 없어. 생각을 해야지.

합리론과 경험론을 종합한 칸트의 철학은 우리 인간을 '스스로 생각할 수 있는 존재'로 만들었어.

합리론

경험론

나만의 요리를…

이제 우리 인간은 경험을 재료 삼아 지성의 능동적인 능력으로 모든 행위의 창조자가 될 수 있습니다!

생각났어. 나만의 요리가!

칸트에 의해 인간은 자유로우며 자율적인 이성을 바탕으로 당당하게 세상을 대할 수 있게 되었지.

그 후 칸트가 등장하는 곳마다 '이성'이라는 단어가 따라 붙었어.

이성

칸트는 이성의 탐조등을 비추는 인류 문명의 등대와 같은 존재였기 때문이야.

칸트의 철학은 독일 철학을 크게 발달시켰고, 그의 뒤를 이어 피히테, 셸링, 헤겔과 같은 철학자가 나와 유럽의 철학은 세계 철학의 중심이 되었어.

칸트 덕분에 사람들은 이성과 경험을 토대로 하는 철학에 익숙하게 되었고, 철학을 이성과 경험의 틀 안에서 바라보게 된 거야.

경험 이성 철학

내가 무슨 동물원에 동물도 아니고…

그 결과 사람들은 기계론과 목적론이라는 사고의 틀 안에 갇혀 자연과 인간을 바라보게 되었어.

물질에 대해서는 기계론을 적용하고, 도덕이나 초자연적인 일에 대해서는 목적론을 적용하면 됩니다.

기계론이란 자연에서 일어나는 다양한 현상과 인간 사회에서 일어나는 여러 가지 일들을 기계적인 운동으로 설명하는 이론을 말해.

물은 중력 때문에 높은 곳에서 낮은 곳으로 흐르지!

이 세상에서 일어나는 모든 일이 자연적인 인과 법칙에 따라 생긴다고 여기는 거야.

실제로 대부분의 과학자들은 기계론적인 사고를 해. 물리학자들은 물체에 힘이라는 원인이 주어지면 이동이라는 결과가 생긴다고 하고,

퍼팅의 강도에 따라 공의 이동 거리는 달라지는군.

힘 조절, 힘 조절….

생물학자들은 생물체를 기계에 비유하여 생명 현상을 물리화학적 작용의 결과로 보고 있어.

물과 이산화탄소에 빛에너지가 더해지면 포도당과 산소를 만들어 내지.

철학자 중에는 데카르트가 동물 기계론을 주장했어.

동물은 태엽을 감은 기계와 같습니다.

18세기의 철학자 라메트리와 같은 이는 인간 기계론을 주장하기도 했어.

인간의 몸은 기계와도 같습니다.

이러한 생각은 오늘날에도 이어지고 있어. 리처드 도킨스는 자신의 책 《이기적 유전자》에서 이렇게 말했어.

인간을 포함한 생물의 몸은 유전자가 끝없이 복제되는 데 필요한 생존 기계에 불과합니다.

도킨스의 생각에 따르면, 만물의 영장이라고 자부하는 우리 인간도 결국 몸속 유전자의 원격 조정을 받고 있는 로봇밖에 되지 않는 거야.

이 말이 진실이라면, 우리는 이 세상에 아무런 목적도 없이 무작정 내던져진 존재가 되는 셈이야.

목적론은 기계론과 대립되는 개념이야.

우린 서로 달라.

목적론은 자연에서 일어나는 현상과 인간이 하는 행위는 모두 어떤 목적이 있고, 그 목적을 위해 사물이 존재한다고 보는 사고의 틀이야.

이 세상에서 운동하고 변화하는 것은 궁극적으로 신(神)을 목적으로 한 것입니다.

자동차를 이용해서 기계론과 목적론을 간단히 구별하면 이렇게 말할 수 있을 거야.

자동차는 금속으로 만들어졌고, 석유를 원료로 움직입니다.

자동차는 사람이 먼 거리를 이동할 때 편리하게 이용하기 위해 만든 것입니다.

목적론은 기독교의 중심 사상이 되어 중세 자연관을 지배했지만

모든 인간은 신의 영광을 위해서 살아야 합니다.

르네상스 이후 인문학과 자연 과학이 발달함에 따라 점점 세력이 약해졌어.

이 세상의 중심은 인간이다.

그런데 베르그송이 이런 철학의 흐름을 완전히 뒤집어 놓았어.

으라차차.

아인슈타인의 상대성이론이 뉴턴이 완성한 고전물리학을 뒤집어 놓은 것처럼

내 이론이 이렇게 뒤집히다니, 흑흑….

베르그송의 《창조적 진화》는 기계론과 목적론으로 귀결되는 유럽 철학을 뿌리 째 흔들어 놓은 거야.

흔들 유럽 철학 우두둑-

베르그송은 칸트의 철학을 바탕으로 하는 기계론과 목적론적 사고의 틀로는 더 이상 우주와 생명을 올바르게 설명할 수 없다고 보았어.

기계론과 목적론으로 더 이상 안 돼.

특히 자연 세계를 인간의 이성으로 분서하고 개념으로 획일화시키는 칸트 철학은 한계에 도달했다고 생각했어.

새로운 설명이 필요해.

베르그송이 이런 생각을 하게 되는 데에는 19세기 이후 왕성하게 일어났던 과학의 발달이 큰 영향을 주었어.

science

!

특히 다윈의 신화론을 중심으로 하는 생물학의 발전이 결정적이었지.

내가 싫구해? 그럼 이 책을 읽어 봐.

종의기원 찰스다윈

뉴턴의 고전물리학을 바탕으로 하는 칸트의 철학은 20세기의 과학을 설명하기에는 너무 부족이었어.

날 설명해 봐.

science

과거의 철학은 어떤 틀(개념)을 정해 놓고 그 안에서만 사유하는 문제점이 있습니다.

내보내 줘 제발~

이성(지성) 중심의 인식론은 더 이상 우주와 생명을 이해하는 데 도움이 되지 않습니다.

베르그송은 《창조적 진화》에서 여러 가지 예를 들어 기계론과 목적론의 문제점을 비판하고 자신의 새로운 철학을 설명했어.

너희들은 문제점이 많아.

이제는 새로운 철학이 필요할 때입니다.

당신이 말하는 새로운 철학이란 무엇인가요?

새로운 철학이란 전과는 완전히 다른 새로운 사유의 틀을 말합니다.

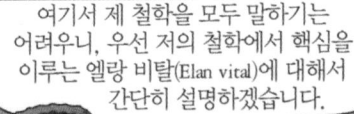

여기서 제 철학을 모두 말하기는 어려우니, 우선 저의 철학에서 핵심을 이루는 엘랑 비탈(Elan vital)에 대해서 간단히 설명하겠습니다.

엘랑 비탈의 의미를 알면 저의 철학에 대해 감을 좀 잡을 수 있을 겁니다. 하하!

엘랑 비탈은 프랑스 말인데 우리 말로는 '생명의 근원적인 약동'으로 번역할 수 있어.

베르그송은 엘랑 비탈을 설명하기 위해 '연체동물과 척추동물의 눈의 형성' 과정을 예를 들었어.

동물의 눈은 정말 놀라운 기관입니다. 눈의 구조는 고도로 복잡한 반면에 그 기능은 아주 단순합니다.

눈이라는 기관은 각막, 망막, 수정체 등 여러 부분으로 이루어져 있고, 각각은 또 다른 신경 요소들로 되어 있어 매우 복잡합니다.

반면에 눈의 역할, 즉 시각은 아주 단순하게 작동합니다. 시각은 눈만 뜨면 작동하지요.

그런데 눈이라는 기관의 복잡성과 시각이라는 기능의 단순성을 비교하면 우리는 당황하게 됩니다.

그 대조가 왜 우리를 당황하게 만든다는 말인가요?

자, 한 번 생각해 보지요. 우선 기능의 단순성입니다. 이것은 대상, 즉 눈 자체에 속한 요소입니다.

기능의 단순성

반면에 대상을 이루는 기관의 무한한 복잡성은 우리가 대상의 주위를 돌면서 감각과 지성으로 알아낸 요소들입니다.

이 두 요소는 서로 다른 질서에 속하고 본성도 다릅니다.

기능의 단순성
기능의 복잡성

따라서 공통적인 척도로 측정할 수 없습니다.

기능의 단순성
기능의 복잡성

?

무슨 말인가 잘 이해가 안 되나요? 히히! 그러면 하기기 화폭에 그림을 그리는 상황으로 설명해 보겠습니다.

우리는 천재 화가가 그린 그림을 여러 가지 색의 모자이크 사각형으로 모방할 수 있습니다.

천재 화가

사각형이 더 작고 더 많으며 여러 가지 색으로 되어 있을수록 원본의 곡선과 색조는 더욱 더 잘 재현할 수 있습니다.

모방 작가

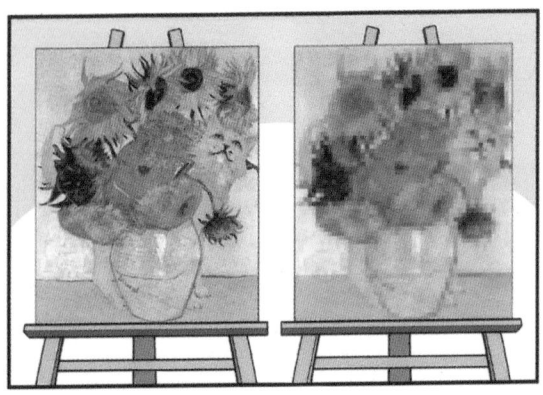

음. 제법 비슷하군.

그림을 정확히 똑같은 것으로 하기 위해서는 무한한 색조들을 나타내는 무한히 작은 모자이크 사각형이 있어야 할 겁니다.

좀 더 똑같이 하려니까 무척 힘이 드는군.

쯧쯧. 애를 많이 쓰는군. 나는 단순한 것으로 상상해서 그냥 통째로 쉽게 그렸는데 저 사람은 정말 어려운 방법으로 같은 그림을 그리고 있군.

우리의 지성이 그림을 모자이크 작업에 의해서만 설명할 수 있다고 해 봅시다.

우리는 작은 사각형들의 집합에 대해서만 말할 수 있을 것이고, 기계론적 가설 속에 갇히게 될 겁니다.

이번에는 모자이크 작업자가 따라 일해야 할 계획이 필요하다고 해봅시다.

똑같이 그려야 해.

그러면 목적론적 가설에 갇히게 될 겁니다.

날 내보내 줘~.

그런데 사각형의 집합은 원래 없었던 거잖아요?

맞습니다. 그러므로 우리는 기계론과 목적론으로는 실재적 과정에 이를 수 없다는 결론에 이릅니다.

아하!

실제로 자연은 눈을 만들기 위해 사람이 손을 드는 만큼의 수고도 하지 않습니다.

여기서 우리는 베르그송이 말한 '제작(fabrication)'과 '유기화(organisation)'의 차이점을 생각해보아야 해.

'제작'은 재단된 물질의 부분을 모아 서로를 서로에 끼워 넣고 그것들에서 공통의 작용을 얻는 것을 말해.

제작은 눈이라는 기관을 지성의 능력으로 복잡한 구성 요소로 나누어서 이해하려는 것이나,

홍채 / 각막 / 동공 / 수정체 / 모양체 / 유리체 / 시신경 / 망막 / 맥락막

눈은 아주 복잡한 기관이군!

천재 화가가 그린 그림을 아주 작은 모자이크 조각으로 나누어서 이해하려는 태도를 의미한다.

주황색은 빨강 조각과 노랑 조각을 섞어 붙이면 되겠군.

제작

반면에 '유기화'는 생명이 뭔가를 만드는 행위로 한 점에서 물결처럼 퍼져 나가는 것을 의미해.

유기화는 눈의 시각 자체를 있는 그대로 파악하려는 태도나

눈은 그냥 눈이야.

천재 화가가 그린 그림을 화폭에 투영된 그대로 보려는 태도를 의미해.

해바라기다!

그리고 유기화는 무언가 폭발적인 것을 가지고 있어.

유기화는 출발 단계에서는 가능한 가장 작은 장소와 최소한의 재료만 있으면 돼.

대표적인 예로 생식 세포인 정자를 들 수 있어.

난자를 찾아 여행을 떠나자.

난 무서워.

정자는 동물의 몸을 이루는 세포 중에서도 아주 작은 편에 속해.

난 백혈구. 넌 누구니?

난 정자.

그러나 난자를 만나면 상황이 크게 달라지지.

안녕.

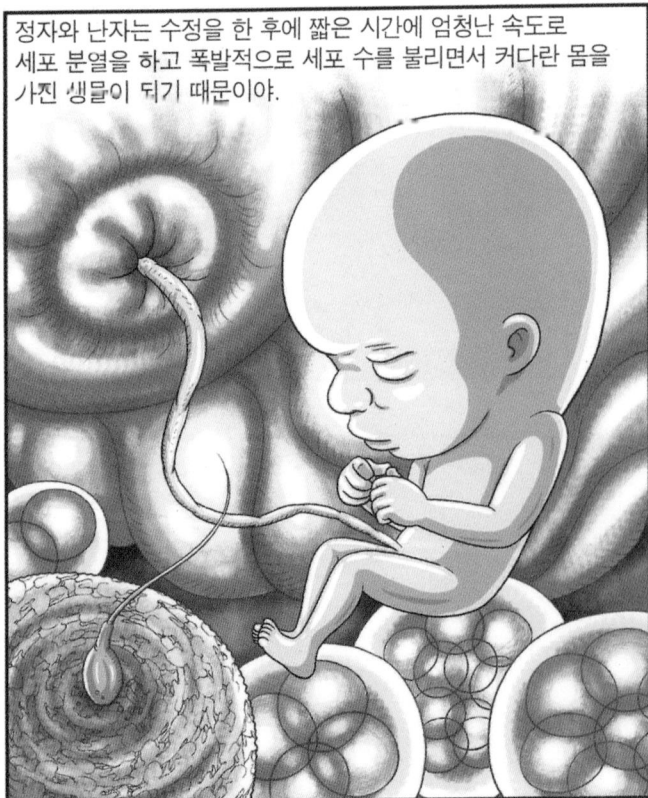

정자와 난자는 수정을 한 후에 짧은 시간에 엄청난 속도로 세포 분열을 하고 폭발적으로 세포 수를 불리면서 커다란 몸을 가진 생물이 되기 때문이야.

베르그송의 철학은 바로 이런 유기화와 같은 관점에 초점을 맞추고 있어.

베르그송은 유기화를 촉발시키는 힘은 바로 생명의 원초적인 약동, 즉 엘랑 비탈이 있기 때문이라고 주장했어.

ELAN VITAL

엘랑 비탈은 생명 진화의 원동력으로 예측 불가능한 형태들의 다양성을 유발시킵니다.

저는 인간과 생명의 근본에 있는 창조적인 본성을 분석적인 이성이 아니라 통합적인 직관으로 이해하려고 했습니다.

어때? 베르그송이 말하는 철학은 지금까지 우리가 알고 있던 서양 철학과는 분위기가 좀 다르지?

그동안 알고 있던 서양 철학이 인간의 이성에 바탕을 둔 분석적이고 합리적인 철학이었다면

베르그송의 철학은 통합적이고 직관적이야. 어떤 면에서는 동양 철학과 비슷하게 느껴질 수도 있어.

도가도비상도.

《창조적 진화》에는 엘랑 비탈 외에도 베르그송만의 철학 이론이 여럿 들어 있어. 그것들은 '시간', '지속', '기억', '창조' 등의 용어들로 설명될 거야.

시간, 지속, 기억! 쉬운 단어라고 생각하면 오산이야. 한 번 책을 읽어 봐. 우리가 알고 있는 의미와는 전혀 달라.

《창조적 진화》라는 책의 제목을 보면 조금 헷갈릴 거야.

내가 그렇게 어렵나?

창조론을 연상시키는 '창조'라는 단어와 진화론을 연상시키는 '진화'라는 단어는 전혀 어울리지 않잖아?

이 땅의 생물들은 모두 자연선택이라는 과정을 거쳐 진화된 것들입니다.

아닙니다. 그건 신에 대한 모독입니다. 이 세상 만물은 신이 직접 하나씩 창조하셨습니다!

그런데 《창조적 진화》에서 사용된 '창조'라는 단어는 창조론의 '창조'와 의미가 달라. 창조론의 창조란 신이 무(無)에서 유(有)를 만드는 것을 의미해.

반면에 베르그송이 사용한 창조란 연속적인 변화 속에서 일어나는 질적 도약(엘랑 비탈)을 의미해.

반면에 진화라는 단어는 일이나 사물 따위가 점점 발달하여 가는 것을 의미하고,

난 최초의 컴퓨터로 1946년도에 펜실베니어 대학에서 태어났지.

난 슈퍼컴퓨터. 에니악의 수천 배 아니 수만 배의 능력을 가지고 있지.

특히 생물이 생명의 기원으로부터 점점 발달하여 가는 것을 말할 때 자주 사용해.

진화

그러므로 《창조적 진화》의 '창조'와 '진화'는 어울릴 수 있는 단어라고 할 수 있어.

왜냐하면 생물이 진화를 하기 위해서는 연속적인 변화 속에서 질적인 도약을 해야 하기 때문이야.

베르그송은 《창조적 진화》라는 책을 통해 고체화된 지성 중심의 오만한 과학자들을 각성시키고,

당신들은 너무 오만해!

새로운 철학으로 생명 현상을 제대로 이해하고,

안녕! 너에게 소개시켜 줄 친구가 있어.

?

나아가 과학과 철학을 융합시키겠다는 야심찬 꿈을 가졌어.

아! 어색하다.

서로 친하게 지내도록 해.

진짜 어색하다.

어느 시대 건 철학자의 강의가 이처럼 일반인들에게 크게 인기를 끌었던 적은 없었어.

내 덕분인 거 알지?

철학이 학문적 순수함을 훼손하지 않고도 대중과 소통할 수 있다는 가능성을 보여 준 문화적 대사건이었지.

《창조적 진화》는 대충 쓴 책이 아니야. 이 책을 쓰기 위해 베르그송은 과학 전 분야에 걸쳐 엄청난 공부를 했어.

도대체 이게 철학책이야? 과학책이야?

정말 다양한 과학 이야기가 들어있어.

《창조적 진화》의 전반부에는 진화를 중심으로 하는 생물학에 대한 이야기가,

후반부에는 당시 물리학계에서 문제가 되었던 여러 물리 이론들에 대한 심층적인 해석이 들어 있거든.

또 책 전체적으로 화학이나 심리학 등 그 시대를 풍미했던 다양한 자연철학적 테마들이 나와.

이것을 보면 자연과학이 맹위를 떨치던 시대에,

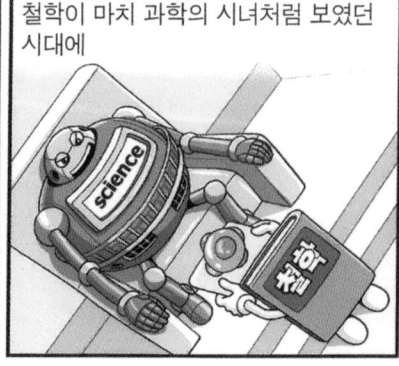

철학이 마치 과학의 시녀처럼 보였던 시대에

베르그송은 다시 철학을 학문의 중심으로 옮기고

과학이 해결하지 못하는 모순을 철학으로 적극 해결하려고 했던 거야.

그는 다윈의 진화론 이후 과학의 중심으로 진입한 생물학을 토대로

생명 진화의 과정을 고찰하면서 새로운 철학의 모습을 보여 주고 싶었던 거야.

《창조적 진화》는 다음과 같이 크게 4개의 장(chapter)* 으로 구성되어 있어.

제1장. 생명 진화에 관하여 - 기계론과 목적론
제2장. 생명 진화의 분기하는 방향들 - 마비, 지성, 본능
제3장. 생명의 의미 - 자연의 질서와 지성의 형식
제4장. 사유의 영화적 기작과 기계론적 환상

1장에서는 기계론과 목적론으로 설명이 어려운 생물 진화론의 문제점을 지적했어.

너희들은 문제가 많아.

* 위 제목들은 '황수영' 교수가 번역하고 아카넷 출판사에서 출간한 《창조적 진화》를 참고한 것이다.

그리고 이를 해결하기 위해 '지속'과 같은 자신의 새로운 철학적 가설을 소개하지.

2장에서는 자신이 제시한 철학적 가설을 토대로 진화를 재해석해. '지성과 본능' 그리고 심화 이 의미를 설명해. 유명한 '엘랑 비탈'에 대한 이야기가 나와.

난 네가 맘에 들지 않아.

니도 마찬가지야.

내가 제일 유명해.

ELAN VITAL

3장에서는 지성과 물질의 상호 발생이라는 관점으로 진화론에 형이상학적으로 접근해.

너를 형이상학* 적으로 풀어줄게.

형이상학…. 그게 뭔데?

이 장에서는 철학과 과학의 관계, 지속과 공간, 물질의 운동과 생명의 운동 등에 대한 이야기가 나와.

잘 지내 보자.

운동을….

이 정도 쯤이야 간단하지.

* 형이상학 : 정보면을 참고하세요.

마지막 장인 4장에서는 인간의 '지성'이 갖고 있는 습관과 환상을 밝히고 비판해.

너의 습관에는 문제가 많아.

그러면서 철학사에서 풀지 못하는 어려운 문제들에는 어떤 것이 있는지 밝히고 이를 어떻게 풀어야 할지 검토해.

이것 좀 풀어 줘.

잠깐, 검토 좀 해볼게.

《창조적 진화》는 출간되자마자 로마 교황청에서 금서로 지정했어.

베르그송 교수가 쓴 《창조적 진화》는 불손하기 짝이 없는 책입니다. 신의 창조 역사를 근본적으로 부정하고 있습니다.

《창조적 진화》 때문인지 베르그송이 출간한 책은 《웃음》이라는 책을 제외하고는 모두 금서로 지정되었어.

우리 좀 풀어 줘.

미안해. 내겐 그런 힘이 없어.

《창조적 진화》에 담긴 베르그송의 사상이 너무나 자유롭고 진보적이었기 때문일 거야.

베르그송은 종교계와 이성을 중시하는 철학계로부터 견제와 질시를 받았지만 시간이 지날수록 그의 철학은 빛을 내고 있어.

윽! 눈부셔.

오늘날 한편에서는 생물학과 바이오테크닉이 비약적으로 발달하고,

또 다른 편에서는 환경을 중요하게 여기는 생태학적 사상의 도입으로 생명의 가치를 드높이자는 주장이 대두되고 있어.

우리 모두를 위해 자연을 지켜 주세요.

한마디로 생명에 관련된 다양한 주제가 홍수를 이루고 있는 셈이지.

그러나 생물과 관련되어 일어나는 다양한 문제점들 중에는 현대 과학이 풀 수 없는 난제들이 많아.

아! 생명은 어디서 시작되었을까?

생명은 언제 종말을 맞이할까?

science

어서 답해 봐.

생물학

《창조적 진화》는 이러한 과학과 철학의 문제들을 해결하는 길잡이가 될 수 있을 거야.

날 따라와.

science

모순

철학

창조적 진화

《창조적 진화》는 우리에게는 무척 낯선 책이지만

넌 누구니?

힐~ 정말 날 몰라?

창조적 진화

프랑스와 유럽에서는 아주 유명하고 중요한 책이야. 《창조적 진화》는

프랑스에선 인기 짱인데….

창조적 진화

음… 그래?

프랑스 고등학교의 철학 교과서에서 매우 중요하게 다루어지고 있을 뿐만 아니라

저자: 베르그송

대학 입시와 교수 자격 시험을 통과하려면 필수적으로 배워야 할 내용에서는

엘랑 비탈?

1941년 베르그송이 세상을 떠났을 때 프랑스의 유명한 시인 폴 발레리(Paul Valéry)는 다음과 같은 말을 했어.

베르그송 선생님이 죽다니….

자, 《창조적 진화》를 읽고 우리도 탁월한 사유인이 되어 보자.

창조적 진화

사람들이 점점 덜 생각하고 점점 덜 성찰하는 시대. 문명은 부와 풍요를 기억하지만, 가난과 공포를 비롯한 모든 억압이 정신의 노력을 꺾어 버리고 좌절시키는 시대. 베르그송은 생각하는 인간의 높고, 탁월한 모습을 하고 있다. 아마도 특별하고, 깊이 있고, 탁월한 사유를 하는 최후의 인간 중의 한 명일 것이다.

형이상학과 형이하학

　우리는 어려운 책을 보거나 생각이 깊은 친구를 보면 '참 형이상학적이야!'라는 말을 합니다. 반면에 비싼 옷이나 맛있는 음식만 좋아하는 친구를 보면 '쟤는 좀 형이하학적이야!'라는 말을 하지요. 이를 통해 '형이상학'은 정신적인 것을, '형이하학'은 물질적인 것을 나타낼 때 사용하는 말이라는 것을 짐작할 수 있습니다. 그 정확한 뜻을 알아볼까요?

형이상학과 형이하학의 유래와 의미

　형이상학은 영어로 'Metaphysics(메타피직스)'라고 합니다. 이 단어는 아리스토텔레스가 쓴 《ta meta ta physica》라는 책 제목에서 나온 것입니다. 《a meta ta physica》는 '자연과학 뒤에 오는 것'이라는 뜻이지요. 책의 제목을 이렇게 붙인 이유는 아리스토텔레스의 글을 정리하던 사람이 그의 글에서 자연과학에 포함되지 않은 내용들만 따로 묶어 자연과학을 다루는 책들 뒤에 두었기 때문입니다. 그 후로 서양에서는 형이상학을 과학적으로 설명이 어려운 내용을 다루는 학문으로 여기게 되었습니다.

아리스토텔레스

　우리나라에 서양의 학문을 소개한 일본 학자들은 'Metaphysics'를 동양의 고전인 주역(周易)에 나오는 단어를 인용하여 형이상학(形而上學)이라 번역했습니다. 주역에서 형체를 갖기 이전의 근원적인 사물의 본래 모습을 '형이상'이라 하고 눈이나 손으로 감각할 수 있는 구체적인 사물은 '형이하'라 했거든요.

　한편 형이하학은 영어로 'physics(피직스)'라고 합니다. 'Metaphysics'에서 '뒤'라는 뜻을 가진 meta를 뺀 것이지요. physics는 자연학을 의미하는 그리스 어 'physika(피지카)'에서 온 것입니다. 'physika'는 아리스토텔레스가 동식물 등을 연구하는 자연과학을 뜻할 때 사용한 단어니까 형이하학은 자연과학이라고도 할 수 있습니다.

수학

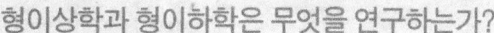

형이상학과 형이하학은 무엇을 연구하는가?

사람이라면 누구나 고갱처럼 '우리는 어디에서 왔는가? 우리는 무엇인가? 우리는 어디로 가는가?'라는 의문을 가집니다. 그리고 이에 대한 답을 알기를 원합니다. 답을 안다면 좀 더 지혜롭게 세상을 이해하고 살 수 있을 것 같습니다. 하지만 아직 그 누구도 시원하게 정확한 답을 내놓지 못했습니다. 형이상학은 이와 같이 인간의 실체적인 감각으로는 잘 알 수 없는 의문이나 본질적인 존재를 탐구하는 학문이라고 할 수 있습니다. 예를 들자면 철학, 문학, 신학, 사회학, 미학 등이 있습니다.

한편 형이하학은 눈으로 보이고 귀로 들을 수 있고 손으로 만질 수 있는 실체가 있고, 증명이 가능한 것을 연구하는 학문이라고 할 수 있습니다. 예를 들자면 물리학, 생물학, 화학, 지구과학 등이 있습니다. 이들 학문에서 가장 중요하게 여기는 것이 실험과 증명인데 이 둘은 인간의 감각 기관이 실체적으로 느낄 수 없으면 성립이 안 되는 일입니다.

폴 고갱 〈우리는 어디에서 왔는가? 우리는 무엇인가? 우리는 어디로 가는가?〉

가끔 어떤 사람들은 형이하학을 형이상학보다 낮은 단계의 학문으로 오해하기도 합니다. 철학이나 문학을 하는 사람들을 뭔가 있어 보인다며 우월하게 여기기도 합니다. 이것은 잘못된 생각입니다. 오히려 어떤 점에서 현대 문명은 형이하학에 좀 더 빚을 많이 지고 있다고 할 수 있습니다. 우리가 지금 누리는 윤택한 문명은 대부분 화학이나 물리학 같은 형이하학의 발전에서 기인한 것입니다. 형이하학과 형이상학 사이에 수직적인 위계가 있다고 생각해선 안 되고 둘 다 인간과 자연을 밝히는 소중한 학문으로 생각해야 합니다.

2장 베르그송은 어떤 사람일까?

앙리 루이 베르그송(Henri Louis Bergson)의 '베르그송'이라는 성(姓)은 할아버지인 'Ber Sonnenberg'에서 온 것이야.

저의 성을 'Ber의 아들(son)'이라는 의미로 Bergson이라 지었답니다. 하하!

나와 닮았지? 아버지셔.

우리나라에서는 Bergson을 베르그송, 베르그손, 또는 베르크손 등으로 다양하게 읽는데 프랑스에서는 그가 폴란드 계 사람이라고 해서 베륵손으로 읽는다고 해.

베륵손.

베륵손.

외국인을 표기할 때 원음에 가깝게 표기하는 것이 원칙이기 때문이야. 하지만 우리나라에서는 이미 많은 사람들이 베르그송으로 부르고 있어 이 책에서도 베르그송이라고 부를 거야.

베르그송

도이칠란트 국기야.

이건 도이칠란트를 독일로, 빠리를 파리로, 똘스또이를 톨스토이로 부르는 것과 비슷한 일이야. 대중들의 언어적 습관도 매우 중요하거든.

아, 독일!

베르그송은 1859년 프랑스 파리에서 태어났어.

1859년은 찰스 다윈이 '종의 기원'을 출간한 해야.

그래서인지 베르그송은 평생 생물의 진화에 대해서 특별한 관심을 가지고 연구했어.

베르그송은 4남 3여 중의 둘째로, 남자로서는 첫째로 태어났지.

앙리형~.

아버지 미카엘 베르그송(Michal Bergson)은 폴란드계 유태인이었어.

저는 폴란드에서는 꽤 괜찮게 살았어요. 하지만 1830년 폴란드 혁명의 실패로 어린 나이에 둘째 형과 폴란드를 떠날 수밖에 없었지요.

베르그송의 아버지는 피아노 연주가이자 작곡가로서 프랑스 왕립 학예원의 원장을 지냈어.

이때만 해도 우리 가족은 살 만했어요.

학예원 원장을 그만둔 후부터는 개인 레슨을 하면서 7남매를 키워야 했지.

아드님의 음감이 좋네요.

정말인가요?

결국 아버지는 가족들을 데리고 파리에서 떠나 처가가 있는 영국으로 이주했어.

저희들 왔습니다. 아버님.

그런데 앙리가 보이지 않는구나?

베르그송은 11살이라는 어린 나이였지만 가족과 함께 영국으로 가지 못하고 학교 기숙사에 남았지.

잘 갔을까?

이후 베르그송은 가족과 떨어져서 외로운 시간을 보내야 했어.

가족이 보고 싶어.

베르그송의 어머니 케이트 베르그송(Kaete Bergson)은 아일랜드계 영국 출신의 유태인이었어.

베르그송은 어머니와 관계가 참 좋았어. 어머니를 기독교의 마리아처럼 여겼거든.

나의 어머니는 매우 지성적인 분이셨고, 가장 고상한 의미에서 종교적인 영혼의 소유자였어요.

어머니 사랑해요.

그녀의 선함과 성실함, 엄숙함은 거의 성인에 가까울 정도였지. 주위의 거의 모든 사람들 또한 그녀를 존경했다고 해.

존경합니다.

마리아가 현신했어!

베르그송의 탁월한 예술적 감성은 음악가인 아버지로부터, 완벽한 영어는 어머니로부터 받은 것이라고 볼 수 있어.

아빠의 선물이야.

ENGLISH

이건 엄마의 선물이란다.

성실하고 교양있는 부모를 둔 덕분인지 베르그송이 세상을 대하는 마음도 늘 따뜻했어.

그래서 그의 철학이 다른 철학에 비해 긍정적이고 낙관적이었는지도 모르지.

긍정의 힘을 보여 줘~. 긍정의 힘을 보여 줘~.

창조적 진화

철학

베르그송은 어릴 때부터 매우 똑똑했어.

한마디로 말하면 천재였지.

학교생활도 성실하게 잘해서 성적이 매우 뛰어났어.

공부가 가장 쉬웠어요.

영어

수학

특히 라틴 어, 영어, 수학, 기하학 등에서는 타의 추종을 불허했다고 해.

고교 수학 경시대회에서 제출한 '파스칼의 세 개의 원'에 대한 풀이가 수학연감에 실리기도 했어요.

수학 연감

파스칼의 세개의원

풀이: 앙리베르그송

그는 국비 장학생인 데다가 유태교 랍비들이 운영하는 기숙사에서 무료로 지냈어.

저는 학교 다닐 때 돈 한 푼 들지 않았답니다.

부모가 누군지 정말 부럽다. 나도 저런 아들 하나 두었으면….

별명이 '철학자'일 정도로 영특하고 성숙했단다.

철학자님, 책은 그만 읽고 저녁식사 해야지.

네, 어머니.

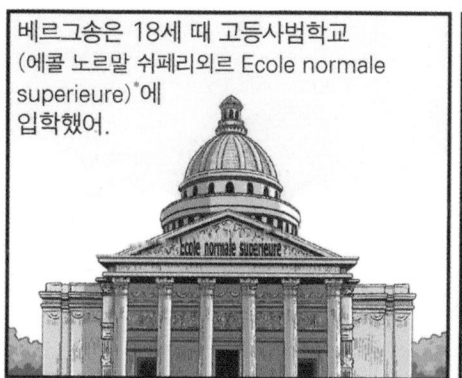

베르그송은 18세 때 고등사범학교 (에콜 노르말 쉬페리외르 Ecole normale superieure)*에 입학했어.

* 정보의 〈프랑스의 엘리트 교육 제도〉 참고

고등사범학교는 플라톤의 철인정치론에 입각하여 프랑스를 이끌 지도자들을 양성하기 위한 학교로 프랑스 교육부 직속 고등교육기관이야.

철학자가 왕이 되거나, 왕이 철학을 해야 합니다!

뭐야? 나보고 철학자가 되라고?

아니지. 나보고 왕이 되란 소리지.

플라톤

왕

철학자

프랑스 전국에서 가장 뛰어난 학생들만 입학할 수 있어. 합격률이 1% 내외라고 해.

또 떨어져 삼수생이 됐네.

난 사수다.

나 오수.

미국의 타임지에서는 프랑스 고등사범학교를 유럽에서 인문학과 자연과학이 가장 뛰어난 학교로 선정하기도 했지.

TIME

이 학교에 들어가면 4년 동안 급료를 받고, 졸업한 뒤 프랑스 정부의 공무원으로 일할 수도 있어.

급료

감사합니다.

세계적으로 유명한 졸업생들이 셀 수 없이 많아. 에밀 뒤르켐, 장 폴 사르트르, 시몬드 보부아르, 미셸 푸코, 질 들뢰즈 등 19세기와 20세기 세계 철학계를 주도했던 인물들이 모두 이 학교 출신들이야.

졸업생들 중에 계약결혼으로 세계를 떠들썩하게 만든 이들이 있었지.

바로 우리야. 시몬느 보부아르와

장 폴 사르트르!

베르그송은 고등사범학교에서 철학을 전공하기로 했어. 당시 그를 가르쳤던 고등학교 수학 교사는 그가 수학이 아닌 철학을 전공하게 된 것을 무척 아쉬워했다고 해.

철학을 전공하겠다니 정말 아쉽구나.

죄송해요, 선생님. 하지만 수학은 집에서 따로 공부할 필요가 없고 칠판 앞에서 풀기만 하면 되는 학문이 아닌가요?

잘난 척하는 게 정말 재수 없지 않니?

하지만 수학은 정말 잘하잖아?

베르그송은 고등사범학교에 3위로 입학했어.

고등사범학교에서 교수들은 그를 매우 섬세한 논리로 비판을 잘하는 학생이라고 여겼어.

정말 논리적이군!

반면 친구들은 그가 영어를 잘하고 얌전하다는 이유로 계집애(miss)라는 별명으로 불렀지.

miss, 축구 한판 어때?

괜찮아. 난 책이나 읽을래.

베르그송은 4년 후 22살 때 고등사범학교를 졸업하고, 철학 교수 자격시험에 합격을 한 뒤

당신을 철학교수로 인정합니다.

앙제(Angers)에 있는 고등학교에서 1년 동안 철학을 강의했어.

앙제는 파리의 서부에 있는 도시야.

앙제
●파리
프랑스

그 다음 5년 동안은 클레르몽-페랑(Clermont-Ferrand)에 있는 고등학교에서 철학 강의를 하며 보냈지.

클레르몽-페랑은 파리 남쪽에 있는 도시인데 제1차 십자군 전쟁의 출정지로 유명한 곳이야.

또 팡세와 파스칼의 원리로 유명한 블레즈 파스칼(1623~1662)의 고향이야.

베르그송은 대학의 수학자들과 친하게 지내는 한편,

최면술사들의 모임에도 참여해서 최면에 대해 깊은 관심을 보였어.

레드썬. 이제 잠이 듭니다.

음, 최면술은 정말 흥미로운 분야야.

베르그송은 나중에 《물질과 기억(1896)》이라는 책과 《정신적 에너지(1919)》라는 논문집을 쓸 때 최면에서 얻은 지식을 활용할 수 있었어.

레드썬!

베르그송은 지방에서 강의를 하면서 박사 학위 논문도 착실하게 준비했어.

시간과 지속에 관해 연구해봐야 겠어.

1889년 30세가 되던 해에 파리의 소르본느 대학교에 《의식에 직접 주어진 것들에 관한 시론》이라는 제목의 논문을 박사 학위의 주(主) 논문으로,

《아리스토텔레스의 공간론》이라는 제목의 논문을 부(副) 논문으로 제출했어.

음….

베르그송은 주논문의 제2장에서 자기 철학의 대표적인 개념인 '지속'에 대해 논의했어.

하지만 심사위원들은 제3장에 있는 칸트 비판에만 관심을 보였지.

난 2장보단 3장의 내용에 눈길이 가네만.

음. 심사위원들이 지속의 의미를 잘 이해하지 못한 것 같아. 사실 내 논문의 핵심은 칸트 비판이 아니라 지속에 있는데…. 아쉽군.

박사 학위를 받은 베르그송은 파리에서 지내면서 앙리 4세 리세(우리나라로 치면 고등학교)에서 철학 강의를 했어.

오늘은 데카르트에 관해 공부해 보자.

철학자로서 어느 정도 입지를 다진 베르그송은 유태인 처녀 뇌베르제와 만나 사랑에 빠졌고,

33살이 되던 해에 19살의 뇌베르제와 결혼을 했지. 이때 화동은 《잃어버린 시간을 찾아서》로 유명한 소설가 마르셀 프루스트였단다. 그는 뇌베르제의 조카였거든.

그녀는 베르그송이 평생 철학적 사유에만 몰두할 수 있도록 온갖 뒷바라지를 다했단다.

여보 차 한잔 부탁해.

네, 달리 필요한 건 없나요?

뇌베르제는 베르그송보다 한참 어렸으나 생각이 깊고 배려심이 많은 여성이었어.

제 아내는 참 좋은 여자였습니다.

마치 저의 어머니와 같은 사람이었지요.

1893년 베르그송과 뇌베르제는 딸(잔느 베르그송)을 낳았는데, 그녀는 선천적으로 듣지 못하고 말도 제대로 못했어.

지금 나를 무시하는 거냐?

왈 왈

아바바….

그러나 베르그송과 뇌베르제는 딸을 훌륭하게 키웠어. 그녀는 탁월한 감각을 지닌 미술가로 성장했지.

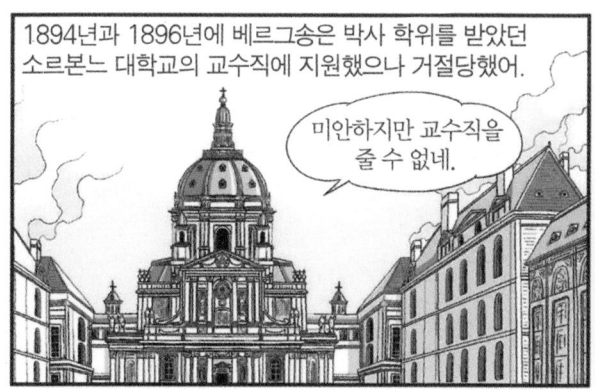

1894년과 1896년에 베르그송은 박사 학위를 받았던 소르본느 대학교의 교수직에 지원했으나 거절당했어.

미안하지만 교수직을 줄 수 없네.

베르그송이 학문적으로 크게 인정을 받고 있기는 했지만 그의 철학은 기존 철학에 비해 신비주의적이었고,

이게 철학이야? 종교야? 너무 신비주의 색채가 강하잖아?

진짜 그것 때문일까?

그가 유태인이라는 사실도 크게 작용했을 거야.

내가 유태인이기 때문이겠지.

유태인은 위험해.

당시 프랑스 사회는 유태인 '드레퓌스 사건'으로 혼란스러웠어.

프랑스에 있는 유태인들의 사상은 모두 검열해야 하고, 그들이 하는 일을 감시할 필요가 있다고 생각합니다.

우리를 왜?

여기서 잠깐 '드레퓌스 사건'에 대해서 알아볼까? 베르그송의 인생에 큰 영향을 끼친 사건이야.

드레퓌스 사건

드레퓌스 사건은 당시 프랑스 사회의 위선적인 모습을 잘 보여 주고 있어.

이 사건으로 프랑스 사회는 극심한 내부 혼란에 휩싸여야 했지.

어느 쪽이 진짜 모습이지?

사건의 개요는 이래. 1894년 프랑스 육군 내부에 페르디낭 에스테라지라는 스파이가 잠입해 있었어.

당시 난 소령이었지!

그는 기밀을 유출하는 편지를 작성했는데 육군은 그 범인으로 포병 대위였던 알프레드 드레퓌스를 체포했지.

드레퓌스를 기밀 문서 유출로 체포한다.

무슨 소리죠?

하지만 엉뚱하게도 에밀 졸라는 프랑스 군법회의를 중상모략했다는 이유로 징역 1년 형을 받고 영국으로 망명했어.

내가 프랑스 인이라는 사실이 무척 부끄럽구나.

프랑스 인들의 진실에 대한 욕구가 강해질수록 보수 언론들의 감정적인 대응도 심해졌어.

프랑스 사회를 좀 먹는 드레퓌스는 죽어야 한다!

드레퓌스가 종신형을 받고 프랑스령 기아나의 악마섬에 갇혀 있는 동안 프랑스 사회는 친(親) 드레퓌스 파와 반(反) 드레퓌스 파로 나뉘어 심각한 갈등을 겪었어.

드레퓌스는 무죄야.

그래. 난 무죄라고 풀어 줘~.

무슨 소리. 드레퓌스는 반역 죄인이야.

1898년 결국 드레퓌스는 다시 재판을 받게 되었는데, 무죄 판결을 받지 못하고 10년 형으로 감해졌지.

10년 형에 처한다.

무죄가 아니고?

진보 세력들의 끈질긴 재심 요구에 1906년, 드레퓌스는 모든 혐의를 벗고 다시 육군으로 복직되었어.

축하해, 드레퓌스.

이런! 그사이 폭삭 늙었네.

이 사건은 프랑스 사회에서 진실이 거짓을 이긴 대표적인 예가 되었단다.

진실은 강하다!

베르그송은 1900년에 사회심리학적인 관점에서 가톨릭 교회와 기득권 세력들의 허구적인 착각을 웃음으로 대하자는 내용을 담아 《웃음》이라는 책을 출간했어.

베르그송 이 사람이 지금 우리를 조롱하고 있군.

유태인인 데다 진보적인 성향이었던 베르그송은 보수적인 학풍의 소르본느 대학과는 어울리지 않았던 거야.

그래 나와 어울리지 않아.

베르그송은 1896년 35살이 되던 해에 《물질과 기억》이라는 두 번째 저서를 출간했어.

《물질과 기억》은 출판되자마자 학계의 비상한 관심을 받았지.

심리학에 대한 방대한 지식과 탁월한 분석이 돋보이는군.

이번에는 좀 인정을 받으려나?

《물질과 기억》이 요즘 인기가 많다던데….

계산해주세요.

대단해!

《물질과 이성》을 출간한 후 그는 모교인 고등사범학교에서도 강의를 할 정도로 학자로서 탄탄한 입지를 다졌어.

음, 모교에서 강의를 하게 되다니 감개가 무량하군.

난 여러분과 함께 학문을 탐구할 베르그송이라고 한다.

저분이 《물질과 이성》을 쓴 베르그송 교수님이셔?

응. 생기기도 참 잘생기셨네!

그런데 벌써 결혼하셨대.

베르그송은 1898년부터는 꼴레쥬 드 프랑스(Collège de France)의 전임 교수가 되어

이제는 새로운 철학이 필요할 때입니다.

활발한 강의 활동을 펼쳤어.

새로운 철학이란 전과는 완전히 다른 새로운 사유의 틀을 말합니다.

베르그송은 꼴레쥬 드 프랑스에서 약 20년 동안 교수로 재직했고,

그 답은 엘랑 비탈, 즉 생명의 비약에서 찾을 수 있습니다.

프랑스 현대 철학의 근간이 되는 여러 저서와 논문을 발표했지.

꼴레쥬 드 프랑스는 프랑스에만 있는 아주 독특한 교육 기관이야.

꼴레쥬 드 프랑스는 나라에서 직접 운영하는 고등교육 기관으로, 프랑스 국민들의 과학과 인문학적 소양을 키우기 위해 만들었어.

1791년 프랑스 헌법

모든 시민에게 공통적이고 모든 사람들에 필요한 무상의 공교육을 조직한다.

꼴레쥬 드 프랑스의 시초는 1530년 프랑수와 1세 때로 거슬러 올라가.

당시 왕실 문고 운영을 담당했던 기욤 뷔데(Guillaume Budé)라는 인물이 인문학자들이 강의하는 교육 기관을 만들자고 제안한 것이 시작이었지.

인문학자들이 강의할 교육기관이 필요합니다. 검토하여 주십시오.

교육기관?

처음에는 꼴레쥬 드 루아얄 (Collège royal, 왕립 꼴레쥬)로 불렸다가,

나폴레옹 황제 시대 때는 꼴레쥬 앵페리알 (Collège impérial 제국 꼴레쥬)라고 불렸고,

1870년부터 지금의 이름으로 불리게 되었어.

꼴레쥬 드 프랑스에는 모두 54개의 교수 자리가 있는데,

그 자리를 얻는 것은 학자로서 대단한 영광이야.

프랑스 국민을 가르치는 자격을 갖춘 자로 인정받는 일이니까.

후후. 소르본느 대학교 교수가 안 된 것이 차라리 잘 된 것 같아.

가르침을 주세요.

꼴레쥬 드 프랑스의 강좌는 모두 무료야.

나도 꼴레쥬 드 프랑스를 다니고 있지!

좀 씻고 오지.

입학 시험도 없어서 학문에 뜻이 있는 사람은 누구나 와서 강의를 들을 수 있어. 대신에 졸업 학위도 없어.

졸업장을 줘, 졸업하게.

미안하지만 졸업 학위는 없어.

베르그송은 학연이나 학파가 없는 그곳에서 자유롭게 강의와 집필 활동에 열중했어.

그래서 저에게는 헤겔이나 하이데거처럼 제자가 없어요. 대신 베르그송 주의자들이 있을 뿐이죠.

만약에 베르그송이 소르본느 대학교에 갔다면 지금쯤 대단한 철학의 학파를 형성했겠지.

베르그송 학파

꼴레쥬 드 프랑스에 재직한 지 9년이 지난 1907년, 베르그송은 유럽과 프랑스 철학사에 엄청난 파장을 몰고 온 《창조적 진화 L'Évolution créatrice》를 출간했어.

《창조적 진화》로 그는 프랑스를 넘어 세계적인 철학자로 인정받았고,

세계적인 철학자 베르그송을 소개합니다.

1914년에는 프랑스 학자로서 최고의 명예인 프랑스 학술원의 회원이 되었어.

정원 40명 중 한 분이 되신 걸 축하드립니다.

같은 해 제1차 세계대전이 일어났을 때 그는 프랑스 외교 사절로 두 번이나 미국을 방문했어.

유럽에서 빨리 전쟁이 끝나도록 도와주시길 바랍니다.

노력하겠소.

제1차 세계대전이 끝난 후, 베르그송은 국제 연맹의 '국제 지식인 협력 위원회(1945년 UN 창설 이후 유네스코가 되는 단체)'의 의장직을 맡기도 했어.

감사합니다. 열심히 하겠습니다.

1925년 건강상의 이유로 의장직을 그만둘 때까지 평화를 위해 많은 일을 했지.

평화를 위해선 노력이 필요해.

평화

쏴아

이와 같은 여러 일에 대한 공로로 베르그송은 1928년에 노벨 문학상을 받기도 했어.

노벨 철학상이 없어 아쉽군요.

그 후 베르그송은 류마티스가 심해져서 사회 활동을 접고 집에서 저술에 몰두했어.

류마티스 따위가 나의 열정을 막을 순 없지.

뚜둑!

삐걱!

1932년 73살의 나이에 베르그송은 《도덕과 종교의 두 원천》이라는 뛰어난 저서를 발표했어.

삐걱

사람들은 깜짝 놀랐지.

은퇴했다더니 언제 이런 책을 준비했지?

오!

새로 다가올 사회 공동체 행동 지침과 같은 책이야.

담겨 있는 철학적 내용이 너무나 뛰어났고 희망적이었기 때문이야.

미래 사회에서는 인간 개인 개인이 신이 된 것처럼 살 수 있을 겁니다.

하지만 세상은 베르그송의 기대를 저버렸어. 유럽에서 제2차 세계대전이 일어났지.

콩

독일 군이 프랑스 파리와 일부 지방을 점령하고 있을 때,

유태인 등록제를 실시해야겠어.

베르그송은 보르도 남쪽으로 피난을 갔다가 파리로 다시 되돌아왔어.

나는 유태인임을 증명하기 위해 파리로 돌아와야 했어.

날씨가 유난히 추운 겨울 날, 베르그송은 석탄이 부족하여

이런 석탄이 떨어졌네.

추운 날들을 보냈어.

추워….

그러다가 심한 감기에 걸렸고, 감기는 폐렴으로 발전하여 결국에는 세상을 떠났어.

베르그송 교수님!

선생님!

꼴레쥬 드 프랑스의 후배 교수였던 폴 발레리가 베르그송의 마지막을 지켜보았어.

선생님들 5시입니다. 이제 수업이 끝났습니다.

선생님!

마지막 유언을 생각하면 베르그송은 자신의 인생을 마치 철학 강의로 여겼던 것 같아.

그만큼 그는 철학 강의를 즐기고 좋아했거든. 때문에 그의 강의에는 늘 많은 청중들이 모여들었던 거야.

베르그송은 프랑스를 대표하는 세계적인 철학자였으나 전쟁 중이라 국장을 치르지 못하고,

파리 근교의 작은 묘지에서 장례식을 치러야 했어.

이렇게 보낼 분이 아닌데…,

제2차 세계대전이 끝난 후 베르그송은 프랑스를 빛낸 인물들이 묻히는 팡테온으로 무덤을 옮겼어.

국가가 내린 그의 비문에는 다음과 같이 적혀 있어.

여기에 저작과 생애가 프랑스와 인류의 사상을 영광스럽게 한 철학자 앙리 베르그송이 잠들다.

HENRI BERGSON
1859-1941

프랑스의 엘리트 교육

대학 위의 대학, 그랑제콜(Grandes Écoles)

프랑스의 교육은 겉으로는 평등하게 보입니다. 모든 국민에게 처음에는 평등하게 교육받을 권리를 주기 때문입니다.

그러나 사람은 날 때부터 지능과 신체에 차이가 있고 시간이 지날수록 차이가 벌어집니다. 프랑스 교육은 이 개인의 능력 차이를 중요하게 생각하고 차별을 둡니다. 상위 4%의 학생들만 들어갈 수 있는 엘리트 교육 기관을 만들어 놓고 각 학생들에게 치열한 경쟁을 붙이는 것입니다. 그 엘리트 교육 기관이 바로 대학 위의 대학이라고 불리는 그랑제콜(Grandes écoles, 프랑스 어로 최고의 학교란 뜻을 가

가장 유명한 그랑제콜 준비학교가 있는 리세 루이르그랑

진 Grande école 그랑데콜의 복수형)입니다. 그랑제콜은 프랑스 혁명 이후 나폴레옹이 중앙 집권 체제의 강화를 위해 만든 국가 교육 기관입니다. 당시에는 군사, 공학 분야의 고위 관료를 양성하는 것이 목적이었습니다. 그러던 것이 19세기 들어와 분야가 다양해지면서 정치, 행정, 경영 분야의 그랑제콜들이 생겨났습니다.

프랑스에서는 1년에 약 80만 명이 고등학교를 졸업하는데 이들 중에서 프랑스의 대입 시험인 바칼로레아의 상위 4%에 드는 학생들만 에콜 프레파라투아르라 불리는 그랑제콜 준비학교에 들어 갈 수 있습니다. 이곳에서 학생들은 2년 동안 콩쿠르라 불리는 그랑제콜 입학 시험을 준비합니다. 입학하기 어려운 만큼 프랑스에서는 그랑제콜의 학생들을 영재로 대우합니다. 공부하는 데 드는 모든 비용을 국가에서 책임지지요. 미래의 프랑스를 이끌고 나갈 지도자들을 키우는 일에 국가가 적극 나서는 셈입니다.

그랑제콜 중의 그랑제콜

그랑제콜도 다 같은 그랑제콜이 아닙니다. 그랑제콜 중에서도 프랑스의 자존심으로 불리는 3대

명문 그랑제콜이 있습니다.

파리 이공대학 (École Polytechnique, 에콜 폴리테크닉)

에콜 폴리테크닉은 나폴레옹이 전략에 우수한 공병工兵 간부를 양성하기 위해 만든 학교였는데 제국주의 시대를 거쳐 지금은 최고 수준의 과학기술자를 키우는 명문이 되었습니다. 프랑스가 원자력, 항공 우주산업, TGV(초고속 열차), 금융 공학 등 최첨단 과학기술을 보유하게 된 데에는 이 학교 출신 인재들의 역할이 크다고 합니다.

파리 고등사범학교 (École normale supérieure, 에콜 노르말 슈페리외르)

파리 고등사범학교 도서관

에콜 노르말 슈페리외르는 원래 교사 양성 목적으로 설립되었는데 지금은 인문학과 자연과학 등 순수 학문 분야의 학자를 길러내는 프랑스 최고의 대학이 되었습니다. 한 해 전국에서 인문학 계열 100명, 자연학 계열 100명을 소수 정예로 선발합니다. 지금까지 12명의 노벨상 수상자를 배출했습니다.

이 학교 출신의 대표적인 학자로 수학자 조제프 푸리에, 생물학자 루이 파스퇴르, 철학자 베르그송과 장 폴 사르트르, 그리고 미셸 푸코, 문학가로 시몬 드 보부아르 등이 있습니다.

국립 행정학교 (École nationale d'administration, 에콜 나시오날 다드미니스트라시옹)

에콜 나시오날 다드미티스트라시옹은 제2차 대전 후 드골에 의해 파리에 세워진 3년제 대학원으로 고급 공무원의 양성을 위해 설립되었습니다. 그동안 정치·경제·사회 각 분야에서 뛰어난 인물이 많이 나왔습니다. 대표적인 인물로 지스카르 데스탱 전 프랑스 대통령, 자크 시라크 전 프랑스 대통령을 비롯해 7명의 총리가 있습니다. 지금도 프랑스의 정·재계 고위인사의 대부분이 이 학교 출신입니다.

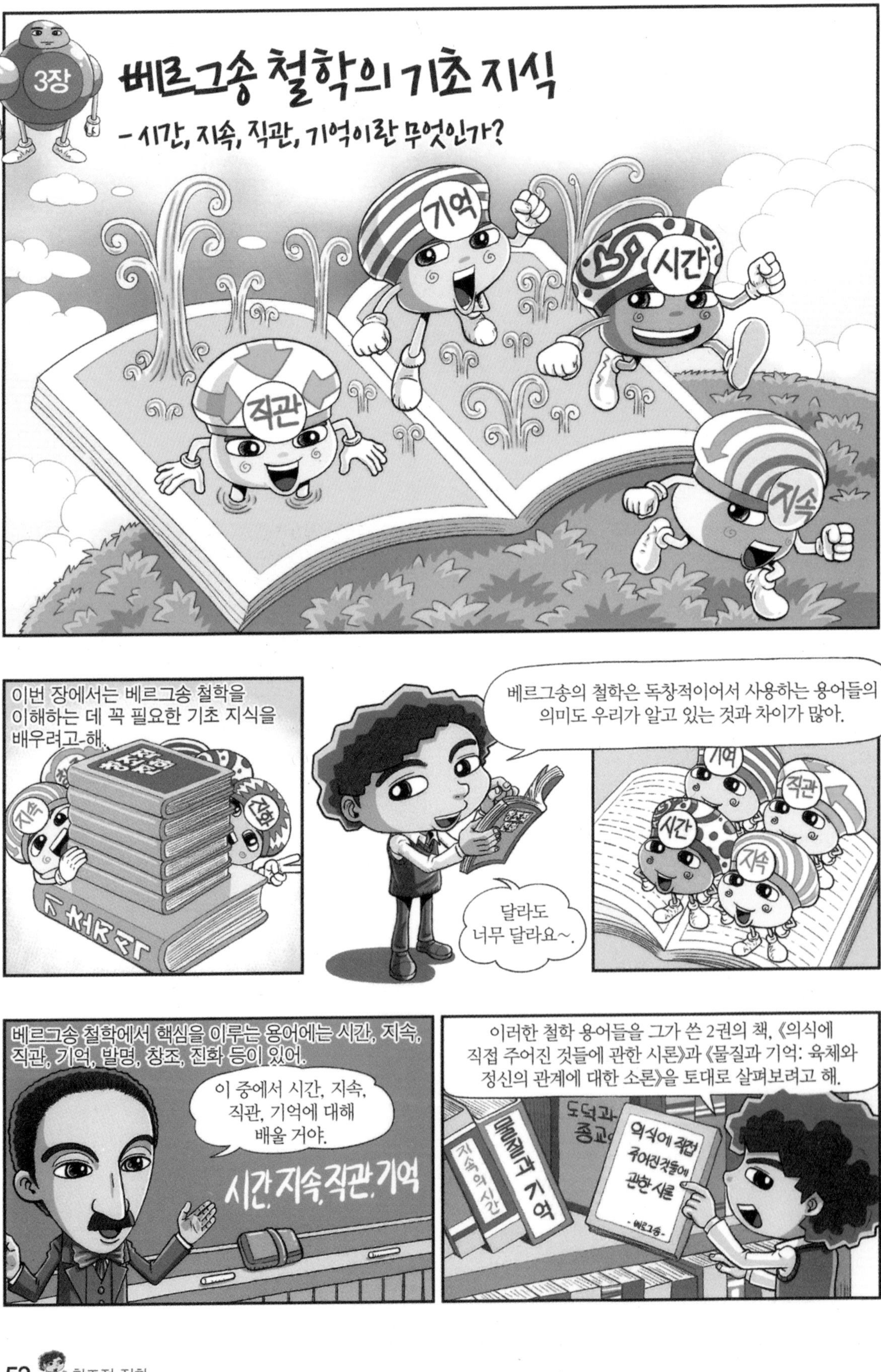

3장 베르그송 철학의 기초 지식
- 시간, 지속, 직관, 기억이란 무엇인가?

이번 장에서는 베르그송 철학을 이해하는 데 꼭 필요한 기초 지식을 배우려고-해.

베르그송의 철학은 독창적이어서 사용하는 용어들의 의미도 우리가 알고 있는 것과 차이가 많아.

달라도 너무 달라요~.

베르그송 철학에서 핵심을 이루는 용어에는 시간, 지속, 직관, 기억, 발명, 창조, 진화 등이 있어.

이 중에서 시간, 지속, 직관, 기억에 대해 배울 거야.

시간, 지속, 직관, 기억

이러한 철학 용어들을 그가 쓴 2권의 책, 《의식에 직접 주어진 것들에 관한 시론》과 《물질과 기억: 육체와 정신의 관계에 대한 소론》을 토대로 살펴보려고 해.

그럼 제일 먼저 '시간'에 대해 알아볼까?

시간?

아니, 아니지.

베르그송 철학에서 시간은 아주 중요해. 베르그송이 콜레쥬 드 프랑스에서 강의할 때 수강자와의 대화를 보면 알 수 있지.

교수님의 철학을 한 문장으로 표현하면 뭔가요?

'시간이 존재한다. 그것은 공간이 아니다.' 입니다.

'시간이 존재한다. 그런데 그것은 공간이 아니다.' 이게 무슨 말일까?

베르그송은 1889년 30살 때 쓴

《의식에 직접 주어진 것들에 대한 시론》 (이하 《시론》)에서 '시간'의 의미에 대해 자세하게 설명했어.

나를 이해하려면 지금까지 알고 있던 '시간'의 개념을 머리에서 싹 지워야 할 거야.

본격적으로 설명하기 전에 먼저 비유를 들어서 말해 볼게. 지금 집 앞에 강이 흐르고 있다고 상상해 봐.

겨울이 되어 날씨가 너무 추워서 강이 통째로 얼었다고 가정해 보자.

이야호~.

얼음이라는 고체 상태의 강을 거대한 톱으로 여러 개로 잘라서 각각의 단면을 보면 어떤 모습일까?

다각

다각

헉!

상류에서 하류까지 강은 각각 다른 모습을 하고 있을 거야.

상류에 있는 얼음의 단면은 폭이 좁겠지?

상류 ➡ 하류

얼음 속에 들어 있는 물고기의 종류도 위치에 따라 다르겠지?

강바닥의 자갈이나 모래의 크기도 다를 거야. 자갈이나 모래는 하류로 갈수록 작아지잖아?

상류 ➡ 하류

물론 가장자리에 얼어붙은 식물들의 종류에도 차이가 있을 거야.

이번에는 여름 장마철 때의 강을 생각해보자.

수량이 풍부해진 강물은 세차게 흐를 거야.

쏼 쏼 쏼 쏼

액체 상태의 물로 이루어진 강은 자를 수가 없어. 물은 유기적으로 잘 어울려서 흘러가기 때문이야.

첨벙   첨벙

뭐야 이건?

베르그송이 말하는 시간은 바로 이 비유에서 흐르는 강물이라고 생각하면 돼.

비유 시간

반면 우리가 알고 있는 시간은 강물의 얼음 조각이라고 생각할 수 있을 거야.

나도 얼음 조각처럼 사람들이 나누어 놓았어. 1시, 2시, 3시….

베르그송은 우리가 일상에서 사용하는 시간을 '공간화된 시간' 또는 '고체화된 시간'이라고 비판했어.

우리는 시간을 재고 나눕니다. 그러나 진짜 시간은 그렇게 할 수 없죠.

당연하지. 무엇으로 날 재고 나누겠어.

웃기는 사람이군. 시간을 나누지 않으면 약속 시간은 어떻게 정할 수 있어?

옳소!

과학자들이 사용하는 시간의 개념도 잘못된 것이라고 비판했지.

과학자들은 사실 시간 자체를 나눈 것이 아니라 공간을 나눈 것입니다.

가짜야.

도대체 저 사람은 뭐라고 말하는 거야? 운동을 표현하려면 시간을 나누고, 거리를 나누어야 하는 거 아냐?

옳소!

여기서 말하는 과학이란 아인슈타인 이전의 과학, 즉 고전적인 과학을 의미한다. 그리고 현대 과학에서 생각하는 시간의 개념은 베르그송 시대의 과학에서 말하는 시간과 많이 다르다.

시간은 강물처럼 흐르는 겁니다. 그런데 과학자들이 말하는 시간은 흐르지 않습니다. 우리는 그동안 과학자들에게 속아 왔습니다.

으잉? 어떻게 알았지?

넌 가짜야!

과학자들은 운동을 표현하기 위해서 시간을 정지시키고 공간화시켰습니다.

끄흐흐흐….

베르그송은 '시간을 공간화시켰다.'라는 것을 제논의 역설을 예로 들어 설명했어.

나 제논.

제논은 기원전 450년 무렵에 활동했던 고대 그리스의 철학자야. 그는 파르메니데스*의 사상을 지지하기 위해 몇 가지 예를 들었어.

사물이 움직인다고 느끼는 것은 모두 환상입니다.

뭐래?

* 파르메니데스 : 고대 그리스의 철학자로 이성만이 진리이며 감각은 오류의 근원이라 주장했다.

제논이 든 예는 우리가 경험적으로 알고 있는 결과와 다른 결론에 이르므로 역설(패러독스, paradox)이라고 해. 대표적인 것으로 '아킬레우스와 거북'의 역설, '이분 역설', '화살의 역설' 등이 있어.

그중 가장 유명한 것은 아킬레우스와 거북의 역설이야.

아킬레우스와 거북이가 달리기 경주를 하는데, 아킬레우스가 거북보다 10배나 빨라.

거북을 아킬레우스보다 1000미터 앞에 놓고 동시에 출발시킨다면 누가 이길까?

사람들은 대부분 아킬레우스가 이긴다고 말할 거야.

하지만 제논은 아니라고 했어. 아킬레우스가 1000미터를 달리는 동안 거북이는 100미터를 달리기 때문이라는 것이지.

아킬레우스가 10미터를 따라잡기 위해 달리면 그동안 거북은 1미터를 달리고,

아킬레우스가 거북을 따라잡기 위해 100미터를 달리면 그동안 거북은 10미터를 달리고,

아킬레우스가 다시 1미터를 따라잡기 위해 달리면 그동안 거북은 0.1미터를 달리기 때문이야.

이렇게 하면 아킬레우스는 영원히 거북을 이길 수 없게 되지.

내가 10배나 빠른데 어떻게 된 거야?

어때? 제논의 논리가 상당히 합리적인 것 같지?

짠~.

여러분의 생각은 어때? 정말 아킬레우스가 거북을 이길 수 없을 것 같니?

이럴 리가 없는데….

털썩!

벌써 포기한 거야?

그러면 이번에는 제논의 '이분 역설'에 대해서 알아보자.

이분 역설

움직이는 물체가 있다고 해. 예를 들어 자동차라고 해.

이 자동차는 지금 A지점에서 B지점으로 이동하려고 해. 그런데 가운데에 중간 지점인 C가 있어. 자동차가 A에서 출발하여 B로 가려면 C지점을 통과해야 해.

자, 지금 자동차가 B지점으로 가기 위해 C지점으로 가고 있어.

그런데 제논은 자동차가 C지점으로 가기 위해서는 A와 C의 중간지점인 D를 반드시 통과해야 한다고 해.

당연하지. 목적지를 가기 위해서는 반드시 중간 지점을 지나야 하니까.

자동차가 D지점을 가고 있어. 제논은 이번에는 A와 D지점의 중간인 E점을 통과해야 한다고 주장해.

제논의 논리대로 한다면 A와 B 사이의 거리가 아무리 짧다고 해도,

오잉? 그러면 자동차는 움직이지 않는다는 결론에 도달하잖아? 도대체 이게 어떻게 된 거지?

A에서 B까지 가려면 무한히 많은 중간 지점을 통과해야 할 거야.

궁금해요? 궁금하면 500원!

어떠니? 제논의 역설이 논리적으로 맞는 것처럼 보여?

당연하지. 내 말은 논리적으로 문제가 없어.

언뜻 생각하면 제논의 역설이 맞는 말처럼 생각될 거야.

언뜻이 아니고 맞는 말이야.

하지만 여기에는 아주 중대한 결함이 있어. 그건 제논이 시간을 생각하지 않았다는 거야.

결함은 무슨…

제논의 역설

제논의 역설을 깨는 가장 간단한 방법은 시간의 개념을 도입하는 거야.

안 돼!

1000미터를 달리는 데 아킬레우스가 100초가 걸린다면 거북은 10배 느리니까 1000초가 걸릴 거야.

속도는 (거리÷시간)이므로, 당연히 아킬레우스가 이기는 거야.

아킬레우스의 속도는
[1000미터÷100초=10미터/초]

거북의 속도는
[100미터÷100초=1미터/초]

제논의 역설이 가지고 있는 문제점은 물체의 운동을 설명하면서 이동한 거리만 생각하고 시간은 고려하지 않았다는 거야.

실제로 물체의 운동은 움직인 거리를 시간으로 나누어서 얻은 속도로 비교해야 하거든.

모두 나눠 주마.

싹 싹 싹

A I E D H C B

실제로 제논의 역설은 상당 기간 철학자들과 과학자들의 머리를 아프게 했단다.

풀 수 있음 풀어 봐.

풀고 말겠어!

근대의 과학자들이 운동의 개념을 고안하고, 수학자들이 미분의 개념을 도입해서 제논의 역설을 명쾌하게 해결했어.

어때? 이 정도면.

이렇게 무너지다니….

그런데 베르그송의 생각은 달랐어.

과학(물리학)이 연구한 것은 운동 그 자체가 아니라 운동의 궤적일 뿐입니다.

베르그송은 자동차의 이동, 즉 자동차의 운동과 자동차가 움직이는 궤적을 동일시하면 안 된다고 했어

시간은 본질적으로 나눌 수가 없는 것이고 따라서 운동도 나눌 수 없습니다.

그럼?

과학자들은 운동 자체가 아니라 운동이 지나간 후의 궤적만 재고 있습니다.

다시 말해 과학자들이 시간을 마치 공간처럼 쪼개서 이야기하고, 운동 자체를 이야기하지 않는다는 거야.

운동은 공간처럼 나눌 수가 없는 것입니다. 공간은 나누어도 질적인 변화가 없지만 운동은 나누는 순간 질적으로 달라지기 때문이지요.

근대 과학에서 '시간'은 일정한 점들의 연속인 '궤적'으로 표현되고 측정되었어.

그런데 문제는 최소한 물체의 운동을 측정하는 동안 정지시켜야 한다는 거야.

뭐 하는 짓이지?

가만히 있어.

측정하는 동안 얼음.

시간은 잴 수 없습니다.

시간을 재려면 시간을 정지시키고 잘라야 하는데 시간은 본질적으로 정지하거나 자를 수 없는 것입니다.

땡강~

히!

어림없지.

시간은 고체가 아니라 액체와 같은 것으로, 흘러가는 것이 시간의 본질이기 때문입니다.

과학자들은 시간 자체를 나눈 것이 아니라 공간을 나눈 것일 뿐입니다.

과학자들이 말하는 시간이란 얼음이 된 강물의 단면과 같은 겁니다.

그렇게 해야만 강을 분석할 수 있기 때문이지요.

움직이지 않으니 분석하기 좋군.

하지만 얼음이 된 강의 단면으로는 강의 본질적인 모습을 알 수 없습니다.

또끔

강의 본질은 흐르는 것이고, 흐르는 강을 있는 그 자체로 봐야 하기 때문이지요.

시간도 마찬가지입니다. 과학자들처럼 시간을 고체화시키고 잘라서 탐구하면 운동의 본질을 제대로 파악할 수 없습니다.

당연하지.

우리는 과학에서 사용하는 시간의 개념을 일상생활에서도 그대로 사용해.

미니시리즈 할 시간이다!

시간을 일정한 행위를 표상하는 개념으로 공간화시키고 있지.

10시에 맞춰 미니시리즈를 내보내야 해.

이제 곧 미니시리즈가 하겠군.

베르그송은 《시론》에서 이러한 시간 개념을 토대로 사유하는 것은 근본적으로 잘못된 일이라고 주장했어.

옳지 않아!

베르그송은 과학에서 말하는 시간과 자신이 말하는 시간을 구별하기 위해 '지속'이라는 개념을 도입했어.

지속

과학과 일상생활에서 사용하는 시간에는 '지속'이 없고, 진짜 시간에는 '지속'이 있습니다.

과학과 일상속 시간 (지속X) 진짜 시간 (지속O)

제가 말하는 시간이야말로 순수한 사유의 대상이 될 자격이 있습니다.

딱!

지속

순수사유

* 지속(持續) : 어떤 상태가 오래 계속되는 것 또는 어떤 상태를 오래 계속하는 것.

지속은 베르그송 철학에서 아주 중요한 개념이야.

지속은 '흐름'이고, '지나가는 것'을 의미합니다. 마치 강물처럼 말이지요.

'지속'은 또 얼마나 어려운 말일까?

'지속으로서의 시간'은 질적인 변화를 동반해.

지속은 그냥 유지되는 것이 아니라 무엇인가가 만들어지고 되어 가고 있는 것을 의미합니다.

난 멈추지 않아.

반면에 우리가 흔히 말하는 시간은 그 자체가 완결된 것이므로 변화가 있을 수 없어.

난 필요에 의해 멈출 수 있어.

그래서 넌 가짜야.

베르그송은 시간을 지속의 개념으로 사유해야만 인간 또는 우주가 시간 속에서 창조되고 진화될 수 있다고 했어.

시간

지속

베르그송은 《시론》에서 지속에 대해 다음과 같이 말했어.

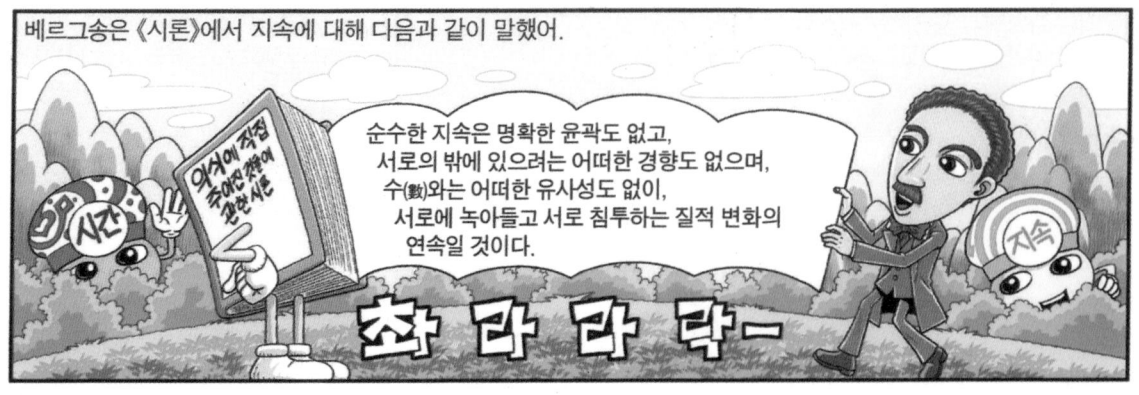

순수한 지속은 명확한 윤곽도 없고,
서로의 밖에 있으려는 어떠한 경향도 없으며,
수(數)와는 어떠한 유사성도 없이,
서로에 녹아들고 서로 침투하는 질적 변화의
연속일 것이다.

촤 라 라 락―

이 문장은 베르그송
철학에서 '지속'의 의미를 가장
명확하게 표현하고 있어.

지속은…

여기서 '순수한 지속'은 '공간성'이 하나도 없는 지속을 말해.
단절되지 않고 고체화되지 않은 흐름 그 자체를 말하는 거지.

이런 순수한 지속은 명확하게
구분을 할 수도 없어.

예를 들어 지금의 기분을 말해 봐. 뭐라고 딱 꼬집어서 말하기 어려울 거야.

그래요. 지금 제 기분은
복잡해요. 아픈 어머니를
생각하면 슬프기도
하지만,

스마트폰이 생겨서 기쁘기도 해요.
이런 말을 하는 동안에 제 기분은 또
달라지고 있어요.

맞아. 기분을 단편적으로 잘라서 말하기 어렵지.
왜냐하면 기분은 끊임없이 흘러가는 시간과 함께 하기
때문이야.

기분은 지속적이야.

기분을 명확하게 구분할 수 없는 것처럼 지속도 명확하게
구분할 수가 없다는 거야.

구분할 거야.

그런 식으로
날 나누거나
구분할 수 없어.

그리고 지속은 수(數)와 어떠한 유사성도 없어.

어디 가? 이리 와.

지속

싫어. 난 너희와 달라.

어떤 것을 숫자화시키려면 공간에 펼쳐 놓아야 해(= 공간화시켜 놓아야 해). 예를 들어 목장에서 소의 숫자를 센다고 해보자.

한 마리, 두 마리, 세 마리….

목동이 첫 번째 소를 세고 돌아서는 순간 그 소는 이미 질적으로 다른 소야. 풀을 더 뜯어 먹어 몸무게가 늘었거든. 마지막 소를 셀 때는 그 차이가 더 심하겠지.

열 마리네.

난 이미 네가 알고 있던 그 소가 아니야.

이처럼 어떤 대상이든지 숫자화시키면 지속의 순수함이 상실돼.

목동 때문에 나 순수함을 잃었어.

알아. 나도 순수함을 잃었어.

지속

그리고 지속은 '서로에 녹아들고 서로 침투하는 질적 변화의 연속'이야.

지속 지속 지속 지속

예를 들어 본인의 심리 상태를 들여다 보자.

지금의 심리 상태는 10초 전의 심리 상태의 영향을 받아. 또 지금의 심리 상태는 10초 후의 심리 상태에 영향을 주지.

심리 상태는 서로에게 녹아들고 침투하는 질적 변화를 하고 있는 셈이지.

지속

그러므로 심리 상태를 연구할 때는 지속의 관점에서 해야 하는 거야.

그런데도 심리학자들은 사람의 심리를 연구할 때 과학에서 말하는 시간의 단위로 잘라서 단편화시키고 있어요. 그렇게 하면 그 사람의 심리 상태를 제대로 이해할 수 없지요.

지속

지속은 인간의 정신세계를 연구할 때 더욱 빛을 발해. 인간의 심리 상태, 또는 의식은 끊임없이 흘러가고 있기 때문이야.

의식은 지속 그 자체입니다.

철학도 마찬가지야. 특히 철학은 인간의 정신세계를 연구하는 학문이기 때문이야.

플라톤 이후 수천 년 동안 철학자들은 과학에서 말하는 시간의 개념을 토대로 철학을 연구했으니 자연과 인간을 제대로 이해할 수 없었던 것입니다.

반면 과학은 물질세계를 다루는 학문이므로 그동안 시간 (지속을 포함하지 않는)을 바탕으로 탐구를 해도 중대한 오류를 범하지 않았던 겁니다.

그러나 과학이 큰 오류를 범하지 않았을 뿐 물질세계를 정확하게 파악할 수 있었던 것은 아닙니다.

자, 그러면 여기에서 의문이 들 거야. 도대체 흐르는 물과 같은 지속을 어떻게 탐구할 수 있을까?

심리 상태를 단편화시키지 않고 어떻게 연구할 수 있다는 말이요?

흐르는 물을 쳐다보기만 하면 본질을 파악할 수 있다는 말이요?

있습니다. 있고말고요. 그건 바로 직관*입니다.

* 직관(直觀, intuit) 감각, 경험, 추리 따위의 사유 작용을 거치지 않고 대상을 직접적으로 파악하는 작용.

여기에서 '직관'은 중요한 철학적 개념이야.

직관은 지속의 세계를 이해하는 가장 좋은 방법입니다.

그래서 당신의 철학을 신비주의라고 하는 겁니다.

그동안 서양 철학은 이성과 경험을 내세웠는데, 베르그송이 직관이라는 새로운 방법을 제시한 거야.

세상을 이해하기 위해 이성과 경험이 중요하지.

아니죠. 직관이 필요합니다.

베르그송이 말하는 직관은 어떤 의미에서 동양적인 철학 방법이라고 할 수 있을 거야.

대표적인 인물로 중국의 철학자인 노자나 장자를 들 수 있을 거야. 그들은 직관으로 자연과 사람의 삶을 이해하고 우주의 이치를 알고자 했거든.

무위자연
(無爲自然).

허허. 잠을 깨니 내가 꿈을 꾸고 나비가 된 것인지, 아니면 나비가 꿈을 꾸고 지금의 내가 되어 있는 것인지 모르겠구나.

인간의 상식적인 사고방식 즉, 이성에 의문을 품고 유학자들이 말하는 도덕적 가르침은 하잘 것 없는 것이라고 주장했어.

세상의 이치는 말이지

도에 대해 말할 수 있다면 그것이 진정한 도겠는가?

유학자

장자는 노자의 생각을 이어받아 자연과 무(無)로 돌아갈 것을 주장했지.

무위자연
(無爲自然).
자연으로 돌아가라~.

베르그송의 철학은 직관을 중시 여겼다는 점에서 동양 철학과 일맥상통해.

무(無)란….

직관이….

직관은 이성을 바탕으로 자연과 인간을 부분적이고 분석적으로 보는 것이 아니라 전체적이고 종합적으로 보는 것을 말하거든.

아하! 그러니까 직관은 각각의 나무가 아니라 숲 전체를 보는 것과 같은 것이구나.

베르그송은 철학을 비롯한 모든 학문과 지식 활동에 '직관'을 도입하는 철학 혁명을 시도했다고 할 수 있어.

친하게 지내 보자고.

철학

그래서 일부 사람들이 베르그송을 현대 철학의 아버지라고도 하는 거야.

그럼 난 현대 과학의 아버지.

우리는 지금까지 베르그송 철학에서 중요하게 다루는 '시간', '지속', '직관'에 대해서 알아봤어.

직관

시간   지속

이제 '기억'에 대해 알아볼 차례야. 베르그송 철학에서 지속은 기억과 분리될 수 없어.

우리 인간은 의식하고 사고하는 존재입니다. 존재한다는 것은 지속한다는 것이고, 또 지속한다는 것은 기억한다는 것을 의미합니다.

우린….   지속   기억   단짝!

기억이 수반되지 않는 의식은 없고,

의식   기억

과거의 기억이 침투하지 않는 현재의 의식이나 생각은 없기 때문이야.

내적인 지속이란 과거를 현재 속에 연장시키는 기억의 연속적인 삶(vie d'une)입니다.

vie d'une   지속   기억

베르그송은 지속과 기억이 맺는 관계를 《물질과 기억》이라는 책을 통해 자세하게 설명했어.

지속한다는 것은 기억한다는 것을 의미합니다.

물질과 기억   지속   기억

《물질과 기억》은 베르그송이 37살이 되던 1896년에 출간한 책이야.

1896년 출간   출판사   물질과 기억

여기서 물질은 인간의 육체를, 기억은 인간의 정신을 의미해.

육체   정신   물질   기억

베르그송은 이 책에서 인간의 육체는 행위의 중심이 되는 개체라고 말했어.

만화가가 만화를 그리기 위해선 몸이란 육체가 필요해.

하지만

인간의 육체는 자기에게 맞는 일에 종사하기 위해 뇌를 가졌으며,

네가 없는 육체는 소용이 없겠지.

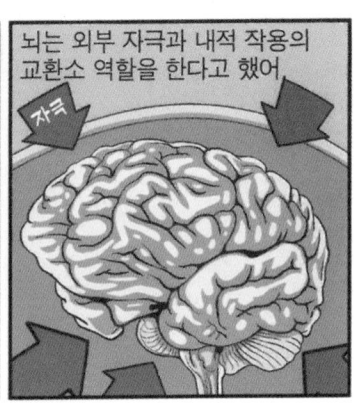

뇌는 외부 자극과 내적 작용의 교환소 역할을 한다고 했어.

자극

베르그송은 외부 자극을 수용하는 뇌의 활동은 모두 진동에 의해 이루어지는데 이 진동은 물질적인 것이며, 진동이 이동되는 것을 지각이라고 했어.

바쁘다, 바빠.

지각

물질

그리고 지각에 영향을 주는 것은 몸의 기억이라고 했어.

기억

지각

쓰윽

베르그송은 기억이 없는 순수한 지각* (知覺)이란 없다고 했어.

넌 내가 필요해.

기억

지각

OK!

* 지각 : 감각 기관을 통하여 대상을 인식하는 것

그럼 '기억이 없는 순수한 지각'이란 도대체 무슨 뜻일까?

육-팅

지각

예를 들어 책상 위에 컵이 있다고 해보자. 우리가 눈으로 컵을 보는 순간, 즉 시각(視覺)이라는 감각으로 컵의 존재를 지각하게 돼. 그 순간 우리의 몸에서는 컵에 대한 과거에 저장되었던 기억이 나오고 우리의 의식은 컵을 해석하는 일을 하지.

맞아. 저 컵은 우리 어머니가 직접 만들었던 거야.

그러므로 인간의 의식이 있는 한 기억이 없는 지각이란 불가능한 일이 되는 거야.

만약에 인간에게서 '기억'이라는 것을 빼면 컵과 마찬가지로 인간(몸, 육체)도 물질이 되는 거야.

물체와 육체의 차이, 죽은 것과 산 것의 차이는 기억이 없고 있고의 차이입니다.

기억(O) 기억(X)

(육체) (물체)

컵을 바라보고 있는 사람에게는 과거와 현재가 동시에 존재하는 셈이 돼.

현재 과거

그리고 현재는 질적으로 계속 달라져. 기억이 계속 축적되고 있기 때문이야.

음, 컵의 색깔이…

어! 이쪽이 약간 깨어졌네?

이 내용이 기억에 저장된다.

이 내용이 앞선 기억 위에 다시 기억된다.

컵을 계속 보고 있으면 똑같은 컵이지만 점점 더 많은 것을 보고 깨닫게 돼.

새 것으로 바꿔야겠어.

이 내용이 앞선 기억 위에 또다시 기억된다.

동일한 컵이지만 새로 축적된 과거의 기억이 계속 몸에서 나오기 때문이야.

바랬구나.

깨어졌네?

이번엔 내가 만들어 볼까?

바꿔야겠어.

과거의 기억을 더 많이 끌고 올수록 현재 내가 바라보는 컵이 달라지는 거야.

기억 기억 기억

이것을 보면 현재와 과거는 공존하는 것처럼 보이고 서로 영향을 주면서 끊임없이 변화하는 것을 알 수 있을 거야.

Vie d'une 지속 기억

내적 지속은 과거를 현재로 연장하는 기억의 연속적인 삶입니다.

베르그송은 기억의 중요성을 두고 《물질과 기억》에서 다음과 같은 글을 썼어.

날 물질과 가장 잘 반성할 수 있는 정신 사이에는 기억의 모든 강도들, 자유의 모든 정도들이 있다.

여기서 '날 물질'이란 기억이 없는 물질을 말해. 예를 들면 돌멩이 같은 거지.

'가장 잘 반성할 수 있는 정신'이란 피카소처럼 매우 깊이 있는 정신세계를 지닌 인간의 정신을 의미해.

돌멩이와 피카소는 당연히 '기억의 강도(強度)'가 다르겠지?

설마 나보고 돌멩이와 경쟁하란 건가?

돌멩이가 아니라 일반인들과 피카소(예술가)의 기억의 강도도 차이가 많이 날 거야.

내가 피카소와 경쟁하게 되다니….

사람이라 좀 낫군!

동일한 사물을 볼 때도 피카소는 일반인들보다 훨씬 다양하고 깊이 있게 보겠지.

그건 제가 여러분보다 훨씬 사물에 대해 고민을 많이 해서 기억의 양이 많기 때문입니다.

나도 기억의 양을 늘려 유명한 화가가 될 거야.

문장의 마지막에 나오는 '자유의 정도'는 '창조의 수준'을 의미해.

내가 좀 자유로운 몸이긴 하지.

베르그송이 말한 자유란 '뭔가 새로운 것을 낳는 행위'를 의미해.

내가 낳은 알이야.

신선하고 새롭지.

그러므로 자유의 수준은 이전 것과 이후의 것에서 질적인 차이가 클수록 높다고 할 수 있어.

피카소가 그림을 그리기 전의 화폭과 그린 후의 화폭에는 엄청난 질적인 변화가 있어. 그림이 그려진 후의 화폭은 대단히 창조적이지.

베르그송은 이런 창조의 행위를 자유라고 표현한 거야. 그래서 예술가의 정신세계는 매우 자유로운 거야.

베르그송은 《물질과 기억》에서 육체, 즉 뇌와 정신, 즉 심리와의 관계를 연구하기 위해 언어 사용 능력을 잃어버린 실어증 환자의 심리에 대한 공부를 하는 데 5년이라는 긴 시간을 보냈다고 해.

베르그송은 이 연구에서 뇌의 손상과 심리적 능력 수행과는 직접적인 관계가 없다는 것을 알아냈지.

말을 못 해도 엄마가 무슨 말 하는지는 알지?

실어증에 걸린 사람도 다른 사람이 말하려 하는 것을 모두 이해합니다.

아! 그렇군요.

자신이 말하고 싶은 것도 알고 있습니다. 그리고 언어 기관에도 아무런 장애가 없습니다. 단지 말을 할 수 없을 뿐입니다.

베르그송은 실어증 환자는 기억을 잃은 것이 아니라 기억을 표현하는 데 필요한 육체적 기재(mechanism)를 잃어버린 것이라고 주장했어.

실어증은 기억의 문제가 아닙니다.

몸에 문제가 생긴 거지.

베르그송은 이 연구에서 기억 (마음 또는 정신)은 육체와 독립적이며, 기억을 끌어내기 위해 육체를 이용한다는 결론을 얻었어.

공자, 노자, 장자의 사상

공자(孔子)와 그의 사상

공자가 살았던 중국은 하루도 빠짐없이 전쟁이 계속되던 춘추전국시대였습니다. 각 나라의 지도자들은 좀 더 많은 땅과 사람을 가지기 위해 전쟁을 일으켰습니다. 전쟁을 위해 정부에서는 많은 세금을 거두었고 젊은 남자들은 전쟁터로 내몰렸습니다. 힘이 약한 나라는 금방 무너졌고, 신하들은 틈을 보아 왕을 제거하고 땅과 권력을 나누어 가졌습니다. 사람으로서의 도리가 무너지고 질서가 없어졌고 모든 것이 폭력적인 힘으로 지탱될 뿐이었습니다.

이런 시기에 공자는 '아침에 온 세상이 질서가 잡혔다는 소리를 듣는다면 저녁에 죽어도 좋다.'라고 말하며 무너진 인간의 도리를 바로 세우려고 노력했습니다. 그의 사상은 2,500년 동안 우리나라를 비롯한 아시아 여러 나라의 정치, 문화, 사회에 아주 큰 영향을 끼쳤습니다.

공자의 사상이 가장 잘 나타나 있는 책은 논어입니다. 논어에 담긴 공자의 핵심 사상은 인(仁)입니다. 맹자는 공자의 인을 '사람이 사는 편안한 집'에 비유했고, 주자는 '하늘과 땅이 만물을 만들어 내는 마음'에 비유했습니다. 중용에서는 仁者人也라고 해서 인을 사람, 또는 사람다움이라 했습니다.

공자는 인 사상을 통해 인간의 잃어버린 예(禮)를 다시 되찾고, 인간의 도리를 해서 인간이 인간다워지기를 바랐습니다. 그러면 인간 사회에 질서가 세워지고 평화가 오리라 믿었습니다.

노자(老子)와 그의 사상

노자는 춘추전국시대의 혼란은 사람들이 만든 법이나 국가 권력과 같은 인위적인 제도 때문에 생겨났다고 생각했습니다. 그래서 인간이 만든 인위적인 것들을 모두 버리고 자연으로 돌아갈 때 사회의 혼란은 극복될 수 있다고 여겼습니다. 노자는 공자와 달리 현실 정치에 개입하지 않았으며 인간의 문화를 거부하고 자연 그대로의 순수한 모습으로 살았습니다. 이를 노자의 무위자연(無爲自然)이라고 합니다.

노자의 핵심 사상은 도(道)입니다. 노자는 도를 시간이나 공간을 초월한 그 무엇이며 만물의 근원이라고 했습니다.

노자는 도덕경 37장에서, '도는 항상 무위로서 그러하고 하지 않음이 없다. 만약 왕이 이것을 잘 지

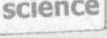

수학

키면 백성은 저절로 생성 발전할 것이다.'라고 했습니다. 도덕경 60장에서 생선을 예로 든 노자의 말을 보면 조금 더 쉽게 이해할 수 있습니다. '작은 생선을 잘 익히려면 약한 불로 시간을 두고 천천히 익힌다. 젓가락으로 쿡쿡 찌르면 생선의 모양이 상한다. 생선을 익히는 것도 이러할 진데 큰 나라를 다스리는 데 있어서도 쓸데없이 민생에 간섭하는 일 없이 백성을 자연대로 내버려 두는 것이 좋다.'

이 글을 보면 노자는 나라의 정치나 개인의 처세에서 자신을 낮추고 있는 그대로 두면 스스로 목적을 이룰 수 있다고 주장하는 것 같습니다. 이것이 노자의 무위이고 노자가 주장하는 도의 한 단면입니다.

장자(莊子)와 그의 사상

사마천이 쓴 사기를 보면 장자는 허난성 사람으로 옻나무 밭을 관리하는 관리였다고 합니다. 그는 모든 분야에 아는 것이 많고 사물의 본질을 보는 눈이 뛰어나 글을 아주 잘 썼다고 합니다. 장자는 노자의 도(道) 사상을 이어 받아 크게 발전시킨 인물입니다. 장자는 도를 다양한 우화와 비유를 통해 사람들에게 설명했습니다.

장자의 도는 노자의 도와 차이가 있습니다. 장자의 도는 이것과 저것의 대립이 사라져 버린 상태를 의미합니다. 장자의 도 사상은 흔히 제물론(齊物論)으로 설명합니다. 제물론이란 인간의 관점에서 보면 모든 것에는 높고 낮음, 좋고 나쁨, 크고 긺음, 많고 석음, 아름답고 추함의 차별이 있지만, 도의 관점에서 보면 모두가 평등하다는 뜻입니다. 장자는 자신의 주관적 입장에 대한 집착에서 벗어나야 도를 이룰 수 있다고 했습니다. 이러한 장자의 사상을 가장 잘 나타낸 것이 호접지몽(胡蝶之夢) 이야기입니다.

> 나(장자)는 꿈에 나비가 되어 이리저리 날아다니니 어디로 보나 나비였다. 나는 나비인 줄만 알고 기뻐했고 내가 장자인 것은 생각지 못했다. 곧 나는 깨어났고, 틀림없이 다시 내가 되었다. 지금 나는 사람으로서 나비 꿈을 꾸었는지, 내가 나비인데 사람이라고 꿈을 꾸고 있는지 알지 못한다.

이 글은 우리의 인식은 매우 상대적이고 주관적임으로 어느 것이 옳은지 알 수 없으므로 결코 어느 하나의 입장에만 치우치지 말아야 한다는 것을 의미합니다.

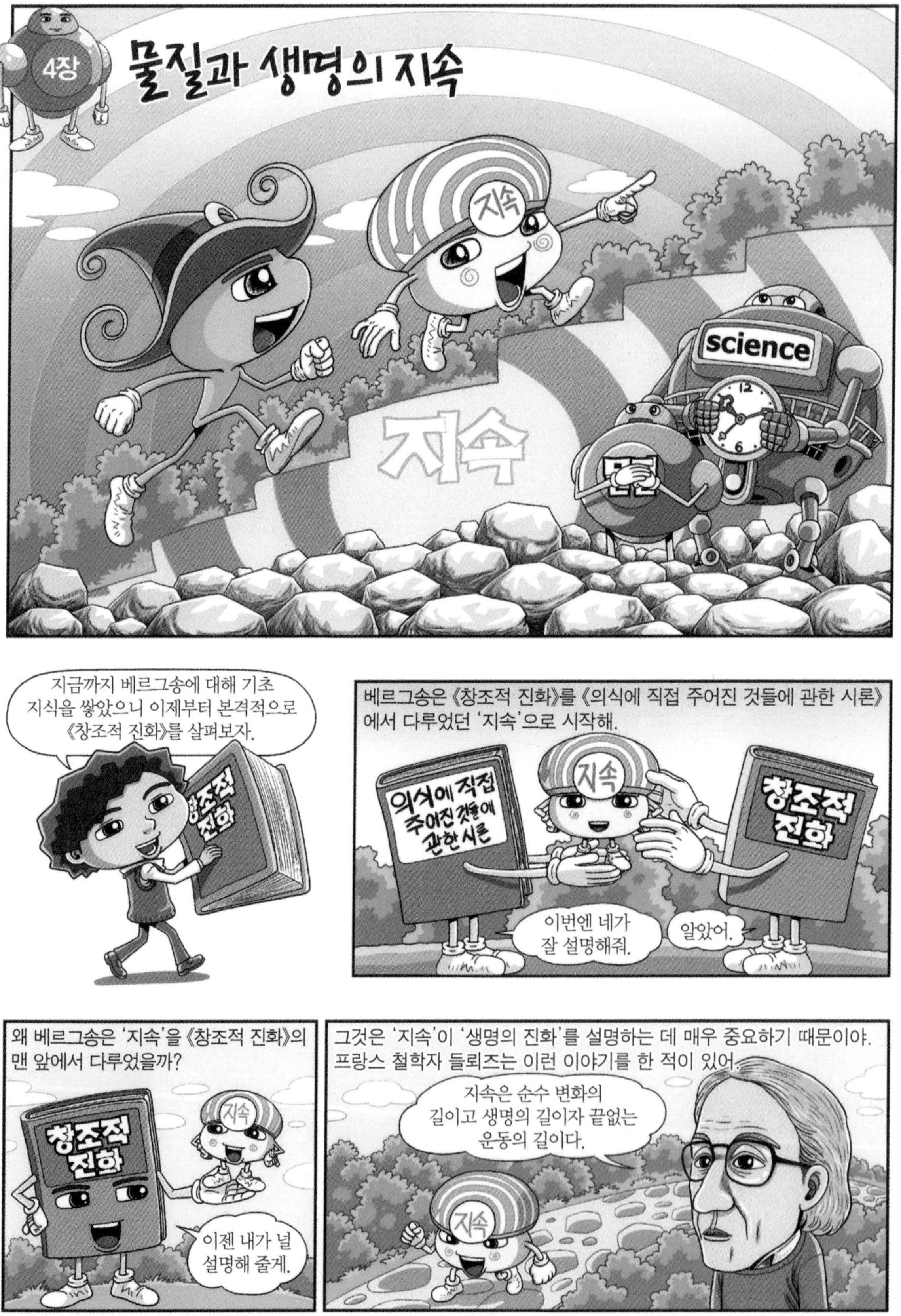

4장 물질과 생명의 지속

지금까지 베르그송에 대해 기초 지식을 쌓았으니 이제부터 본격적으로 《창조적 진화》를 살펴보자.

베르그송은 《창조적 진화》를 《의식에 직접 주어진 것들에 관한 시론》에서 다루었던 '지속'으로 시작해.

의식에 직접 주어진 것에 관한 시론

창조적 진화

이번엔 네가 잘 설명해줘.

알았어.

왜 베르그송은 '지속'을 《창조적 진화》의 맨 앞에서 다루었을까?

창조적 진화

지속

이젠 내가 널 설명해 줄게.

그것은 '지속'이 '생명의 진화'를 설명하는 데 매우 중요하기 때문이야. 프랑스 철학자 들뢰즈는 이런 이야기를 한 적이 있어.

지속은 순수 변화의 길이고 생명의 길이자 끝없는 운동의 길이다.

지속

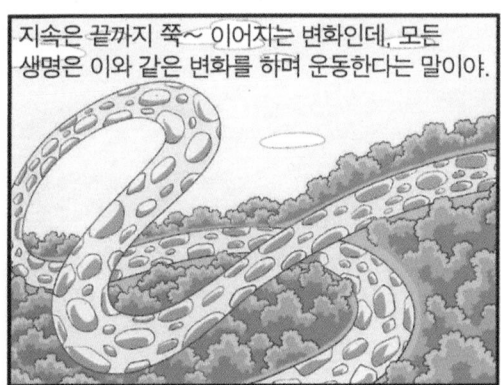

지속은 끝까지 쭉~ 이어지는 변화인데, 모든 생명은 이와 같은 변화를 하며 운동한다는 말이야.

이러한 까닭으로 지속은 필연적으로 전체성*을 내포하고, 새로움과 창조의 가능성이 늘 열려 있지.

우리는 늘 함께하지.

창조

지속

* 전체성(全體性) : 여러 사물이 전체적으로 하나의 유기적인 체계를 이루고 있는 성질.

반면에 우리가 알고 있던 시간, 즉 과학자들이 말하는 시간(공간화된 시간)의 관점에서는 생명 진화의 과정을 올바르게 설명할 수 없어.

모든 일은 사후에(일이 일어난 후에) 주어지는 방식으로 우리에게 나타나고,

생명은 분명 이곳을 지나갔어.

측정과 관찰의 반복만이 가능할 뿐, 변화의 가능성은 차단되기 때문이야.

여기도 흔적이….

science

난 여기 있지.

예측을 불허하는 생명체의 새로움과 창조성을 밝혀낼 수가 없지.

과학에서 말하는 시간은 생명의 진화 과정을 밝히는 데 부적절해.

science

베르그송은 수십억 년 동안 연속적인 과정에서 끊임없이 무언가를 생성시키며 앞으로 나가 온 생명의 진화 과정은 지속이라는 시간의 토대 위에서 가능하다고 해.

이러한 까닭으로 《창조적 진화》는 '지속'으로 시작하는 거야.

지속

내가 얼마나 중요한지 알겠지?

그는 지속의 주체를 인간, 물질, 생명체로 나누고, 이들의 지속을 각각 구분하여 설명했어.

물질

의식의 지속

베르그송은 먼저 '의식의 지속'에 대해 말했어. 의식이 있는 존재는 인간이니까 인간의 지속에 대한 이야기라고 할 수 있을 거야.

베르그송은 우리가 가장 확신하고 잘 알고 있는 존재는 바로 '나' 자신이라고 말해.

우리가 가장 잘 알고 있는 것에서부터 이야기를 시작하지요.

존재하는 나

그러면 '내가 존재한다.'는 말의 정확한 의미는 무엇일까?

존재하는 나

그것은 나의 의식이 지금 상태에서 다음 상태로 변화하는 것이야.

나는 덥기도 하고

춥기도 해.

또 나는 즐겁기도 하고

히히히~.

슬프기도 해.

흑흑흑~.

나는 지금 이 순간도 끊임없이 변화하고 있어. 그래서 나는 존재한다고 말할 수 있어.

나는 생각한다. 고로 나는 존재한다.

No! No! 나는 변화한다. 고로 나는 존재한다.

베르그송은 이러한 나의 상태를 《창조적 진화》에서 다음과 같은 멋진 글로 표현했지.

내 영혼의 상태는 시간의 길 위를 전진하면서 그것이 끌어 모으는 지속으로 끊임없이 부풀어 가고 있다.

베르그송은 연속적 변화 속에서 내 의식의 상태는 마치 눈덩이를 굴리는 것처럼 지속의 순간들을 끌어 모으고 있다고 말했어.

그러므로 우리 인간의 의식을 들여다보면 지속의 의미를 가장 잘 이해할 수 있을 거야.

우리의 의식 안을 들여다보면 다양한 감각이 공존하고 있어. 음식을 먹을 때도 짜거나, 맵거나, 쓰거나, 달거나 하는 등의 감각을 수시로 느껴.

맵다. 짜다. 쓰다. 달다.

이런 감각은 한 순간도 동일하지 않고 연속적으로 변화를 하지.

국은 좀 짜네.

갈비는 좀 싱겁고

김치는 좀 맵다.

또한 우리의 의식 안에는 온갖 욕망이 들어 있어. 물질에 대한 욕망, 명예에 대한 욕망, 권력에 대한 욕망, 이성에 대한 욕망 등이 늘 왔다 갔다 하지.

갑부가 될 거야.

제가 학생회장이 된다면….

올핸 꼭 결혼하게 해주세요.

배고파. 피자먹고 싶다.

꼬르륵~

이러한 요소들은 서로 섞여서 서로에게 영향을 주고 있어.

부자가 되고 싶어.

하지만 훌륭한 정치가가 되려면 돈을 멀리해야 하는데 어떻게 하지?

사람들은 끊임없이 변화하고 있는데, 상태 그 자체가 이미 변화라고 할 수 있을 정도야.

한 상태에서 다른 상태로 이행하는 것과

같은 상태 안에 머무르는 것 사이에 본질적인 차이가 없어.

어느 상태라 하더라도 의식의 변화는 멈추지 않아.

이처럼 우리의 의식이 주도하는 심리적 삶은 예측 불가능한 것들로 가득 차 있어.

예를 하나 들어 볼까? 지금 우리는 미술 전시관에서 멋진 초상화를 감상하고 있다고 가정해 보자.

......

평론가는 모델의 얼굴 모양, 화가의 작품 스타일, 그림에 사용된 다양한 색감을 두고 초상화를 설명해.

이 초상화로 말씀 드리자면 색감이 화려한 것이 특징으로….

...

하지만 평론가는 이미 완성된 초상화를 보고 설명하고 있는 것에 불과해.

화가가 초상화를 그릴 당시의 느낌도 설명해 줄 수 있나요?

글, 글쎄요. 그건 좀….

누구라도 화가가 초상화를 그리는 중에는 그에 대해 말할 수가 없어.

그럼 저 화가가 그리고 있는 그림에 대해서 설명해 줄 수 있나요?

그것도 좀….

뭐라는 거야?

완성된 후에 초상화의 모습을 예측할 수 없기 때문이야.

그럼 혹시 화가 아저씨가 설명해 줄 수 있나요?

이런 젠장!

화가 자신도 초상화가 어떻게 나올지 예측할 수 없을 거야.

글쎄, 나도 잘….

화가의 의식은 수시로 변하니 말이야.

화사하게 그리고 싶다가도 다시 무게감 있게 하고 싶기도 하고.

화가는 지속의 관점에서 사유해야 하기 때문이야.

나도 완성을 해 봐야 알겠는데.

아… 네!

우리의 의식은 목걸이를 이루는 진주들처럼 나란히 있는 것으로 생각할 수 있어.

그러나 각각의 진주알이 아니라

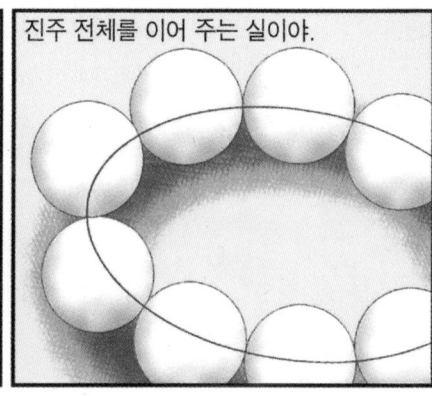

진주 전체를 이어 주는 실이야.

우리의 지속은 순간(진주알)을 대치하는 순간(다른 진주알)이 아니야.

이건 내가 아니야.

지속

대치가 가능하다면 오로지 현재밖에 없을 것이고,

과거는 현재로 연장될 수 없어.

과거   현-   미래

그러면 진화도, 구체적 지속도 없게 돼.

이런 순간이 막고 있어. 더 이상 지나갈 수가 없어.

지속은 과거가 미래를 잠식하고 전진하면서 부풀어 가는 부단한 과정이야.

눈덩이가 커지는 상상을 해 봐.

과거가 끊임없이 증식하기 때문에 그것은 또한 무한히 보존돼.

지속

베르그송은 《물질과 기억》이라는 저서에서 의식은 기억으로 보존된다는 것을 말했어.

그는 동일한 순간들이 연결된 의식, 즉 변화가 없는 의식은 지속이 없는 단순한 의식이라고 했어.

우리의 의식은 기억으로 보존됩니다. 그런데 변화가 없는 의식은 지속이라고 볼 수 없어요.

반면에 과거가 현재로 연장되며

미래를 향해 부단히 나아가는 전진은

살아 있는 의식이고 진정한 지속이라고 했어.

베르그송은 《창조적 진화》에서 의식은 생명 진화의 전 역사를 포함한다고 강조했어.

인간의 의식 속에는 생명 진화의 전 과정이 기억으로 남아 있습니다.

그렇다면 우리는 무엇이며, 우리의 성격은 무엇이라고 말할 수 있을까?

베르그송은 '우리라는 존재', '우리의 성격'을 우리가 태어난 이래로 살아온 역사를 응축한 것이고,

심지어 출생 이전의 역사를 응축한 것이라고 말해.

우리의 의식은 출생 이전의 성향들도 더불어 간직하고 있습니다.

이 말은 한 인간으로서 가지는 개체적 생명의 기억만이 아니라,

생명체라면 누구나 가질 수 있는 근본적 욕구와

맛있다!

다양한 생명체의 종(種)적 특성까지도 우리의 삶에 반영되어 있다는 것을 의미해.

내 눈은 아빠를 닮았고 코는 엄마를 닮았어.

이처럼 인간의 의식 상태 속에서 지속은 부단한 변화,

이번 올림픽에선 반드시 금메달을 따겠어.

과거 기억의 보존,

이번엔 실수하지 않겠어.

그리고 새로운 질(質)*의 창조로 나타나.

해 냈어! 금메달이야!

* 질(質) : 바탕, 꾸미지 아니한 본연 그대로의 성질

우리의 인격은 축적된 경험과 함께 형성되며 끊임없이 변화해.

아저씨, 배고파요. 도와주세요.

이런! 어린아이가 구걸로 연명하다니!

인격은 이전에 있던 것에 덧붙여져 언제나 새롭지.

이 돈으로 밥부터 먹도록 해라.

감사합니다.

의식적 존재(인간)에 있어서 존재한다는 것은 변화하는 것이고,

배고픈 아이들을 위해 살겠어.

변화하는 것은 성숙하는 것이며, 성숙한다는 것은 자신을 무한히 창조하는 것으로 이루어지는 거야.

사랑의 밥차

부족하면 또 오너라.

감사합니다.

그러면 물질에도 이런 생각을 적용할 수 있을까?

물질

물질의 지속

베르그송은 인간의 의식 세계는 어제와 오늘이 분리되지 않는 연속이며 흐르는 운동으로서의 생성이고 지속이라고 했어.

베르그송은 생명이 없는 물질*의 경우도 의식과 마찬가지로 지속한다고 보았어.

* 물질 : 베르그송은 물질, 물체, 무기체 등 다양한 표현을 사용했는데 여기서는 물질이라는 단어로 통일해서 사용한다.

그러면 지금부터 어떻게 생명이 없는 물질도 지속한다고 말할 수 있는지 살펴보자.

물질은 우리의 지각과 지성(이성)에 의해 공간 속에서 서로 구분되는 것들로 인식돼.

이것은 유리 반지입니다. 부인께서는 유리를 다이아몬드로 속아서 산 것입니다.

남편이 생일 선물이라고 사 준 건데.

또한 물질의 변화와 운동은 지성의 관점에서 볼 때 부분들의 위치 이동에 불과해!

물이 얼음이 되는 것은 물 분자의 위치가 달라졌기 때문입니다.

물질은 인간의 의식처럼 역사를 갖지 않아.

난 기억이 없기 때문이야.

그러므로 아무것도 창조되지 않아. 물질의 미래는 이론적으로 그것의 현상태속에 이미 현존해.

설악산에 있는 울산바위는 오늘도 울산바위이고 내일도 울산바위인 것처럼 말이지.

2013.3.10. 울산바위

2013.3.11. 울산바위

이와 같은 관점에서 운동을 연구하는 과학자들은,

나는 에드먼드 핼리야. 영국의 천문학자이며 기상학, 물리학, 수학자이기도 해.

절대 공간과 절대 시간 속에서 엄격한 인과론적 결정론에 지배되는 우주론을 주장해.

저 혜성(핼리 혜성)은 앞으로 76년 후에 다시 지구를 방문하게 될 겁니다.

핼리의 예측이 사실로 밝혀지자 날 핼리 혜성이라 불렀어.

* 여기서 말하는 과학자는 아인슈타인 이전의 고전물리학을 했던 과학자들을 말한다.

과학자들은 시간의 흐름은 무한한 속도를 가지며,

물질적인 연구 대상들의 과거, 현재, 미래는 같은 공간 속에서 단번에 펼쳐진다고 가정해.

4000만 년 전에 살았던 티라노사우르스의 뼈가 분명합니다.

그런 것 같군요.

여기서는 모든 것이 단번에 주어지고 미래는 현재의 함수로 계산과 예측이 가능하기 때문이야.

날씨에 관련된 데이터를 슈퍼컴퓨터에 넣어 주면 일주일 후의 날씨도 예상할 수 있어.

super computer

기상청

이때 시간은 아무런 작용도 하지 않아.

내가 계산하는 동안 넌 좀 사라져 줘야 겠어.

super computer

꽝

됐욱!

따라서 물질을 연구하는 데 큰 문제가 생기는 거야.

안돼….

과학자들의 지성적 이해는 물질의 본래적 모습을 제대로 파악할 수 없어.

날 제대로 파악하고 싶다면 시간을 데려와.

물질

베르그송은 물질에 대한 이와 같은 접근은 잘못된 것이라고 말했어.

당연하지. 물질도 내가 필요해.

물질도 따로 분리되어 존재하는 것이 아니라 의식과 서로 연관되어 연속적으로 존재한다고 생각했기 때문이야.

베르그송은 화학적 변화의 예가 그러하다고 말해.

만약 설탕물 한 컵을 만들려고 한다면 물에 설탕을 넣고

녹기를 기다려야 해*.

이 경우 설탕물은 설탕과 물이 서로 섞여 전체로서 존재하며 지속을 하는 겁니다.

* 사실 이것은 화학적 변화가 아니라 물리적 변화라고 할 수 있다.

설탕물은 수학적 시간의 지배만 받는 것이 아니야.

나 말고 또다른 시간이 존재한다는 거야 뭐야?

우리가 기다려야 하는 시간은 우리의 조바심, 즉 마음대로 늘이거나 줄일 수도 없는 우리의 고유한 지속의 몫과 일치해.

당연하지. 바로 나야.

물질의 흐름도 심리적 지속과 마찬가지로 시간의 작용을 받는다는 것이지.

시간이 있는 곳엔 지속도 함께하지.

좀 비켜 줄래?

윽!

그러나 과학적 조작은 물질의 기하학적 특성 위에서 이루어지고,

연구의 편의를 위해 물질계를 고립시켜.

물질계의 고립화는 인공적이고 불완전해.

뭘 봐?

과학이 끝까지 물질계를 완벽하게 고립시킨다면 그것은 오로지 연구의 편이성을 위해서야.

좋구나!

베르그송은 이와 관련된 예로 우리 지구가 속해 있는 태양계를 들었어.

태양은 가장 멀리 있는 행성 너머로까지 열과 빛을 복사해.

다른 한편으로 태양은 자신의 중력으로 행성들과 그것들의 위성들을 이끌며 정해진 방향으로 운동하지.

또한 태양계는 우주의 나머지와 연결되어 있어. 그 속에 있는 지구도 마찬가지야.

그러므로 전 우주에 내재하는 지속이 우리가 사는 세계의 작은 부분에까지 전달된다고 할 수 있어.

우주에도, 작은 모래 속에도 지속이 존재해.

이러한 관점에서 본다면 우주 속에서 태양계만 떼어 내어 분석적으로 연구하는 일은 불완전한 거야.

안 돼!

내가 좀 살펴보지!

물질의 세계도 우리의 의식 세계와 마찬가지로 서로 연관되어 끊임없이 변화를 하고 있어.

어제의 울산바위가 오늘도 같은 울산바위처럼 보이지만 시간과 함께 변화하고 지속하고 있는 거야.

그것은 다른 체계들과 상호 영향 속에 있고 이 영향은 전 우주에까지 확장돼.

시간

지속

우주를 포함하여 모든 물질 세계도 지속을 해.

우리가 시간의 본성을 심화시켜 볼수록

파워 업!

더욱더 우리는 지속이 발명과 형태를 창조하고,

새로운 것을 연속적으로 만들어 낸다는 사실을 이해하게 될 거야.

너무 빨라~. 천천히 좀 가자.

부아아앙

생명체의 지속

그러면 물질도 아니고, 의식이 있는 존재도 아닌 생명체*에서 지속은 가능할까?

생명체는 물질 법칙의 지배를 받기도 하지만 생명 자체는 물질을 초월해.

* 베르그송은 생명, 생명체, 유기체 등으로 표현했는데 여기서는 생명체라는 단어로 통일해서 사용한다.

물질의 자기 동일성은 생명체의 지각에 의존하지만

음, 맛있는 도토리야!

생명체는 스스로 자기 동일성을 유지하는 개체이기 때문이야.

어머, 도토리가 내 입 속으로 사라져버렸네.

생명체의 다양한 이질적 부분들이 유기적으로 관계를 맺으며 통일된 전체를 이루고 있는 모습은 물질과 확연히 달라.

아니, 동물 세포 하나 안에도 이렇게 다양한 것들이 들어 있는 거야? 이 중에서 하나라도 없으면 세포를 유지할 수 없는 거네?

핵막 핵공

DNA

리소좀

리보솜

세포막

핵

미세섬유

소포체

미토콘드리아

세포질

골지체

중심립

퍼옥시좀

하지만 물질인 돌멩이는 그렇지 않아.

얼음도 마찬가지야.

생명의 지속은 자기 안의 이질성*을 능동적으로 통합하는 것을 말하거든.

바쁘다 바빠~.

이질성 이질성 이질성

이런 통합의 깨어짐은 죽음을 의미해.

생명체에서 유기적인 통합이 상실되면 생명체는 물질이 되는 겁니다.

통합상실 ⇩ 물질

* 이질성(異質性): 서로 바탕이 다른 성질이나 특성

생명체는 시간을 능동적으로 대하지만,

시간

물질은 그것을 수동적으로 맞이하고 해체되고 이완되는 방향으로 나가.

따라와.

물질 시간

즉 생명체와 물질은 방향이 다른 지속을 하고 있는 거야.

생명체 물질

지속

생명체에서 개체와 개체 아닌 것을 구분할 때 어려움이 좀 있어.

헉!

퇵!

특히 생식 현상은 개체성과 모순이 돼.

?

꿈틀 꿈틀

개체성이 완벽하기 위해서는 생명체의 어떤 부분도 거기서 떨어져 나와서는 살 수 없어야 해.

왼!

쩐ㅡ

그런데 생식은 과거의 생명체에서 떨어져 나온 조각을 가지고 새로운 생명체를 재구성하는 것을 말해.

암캐와 수캐의 사랑으로 강아지가 태어나는 것이 바로 그런 경우지.

생식은 시간적 영속을 향하고

생명은 생식을 통해 영속하며 지금의 우리까지 이어져 오고 있죠.

할아버지, 할머니개 ➡ 아버지, 엄마개 ➡ 아들, 딸 강아지

개체성은 공간 속에서 완벽함을 추구하기 때문이야.

생명은 시간적 존재이므로 공간 속에서는 불완전하며, 한 공간에서 모든 가능성을 다 실현하기란 불가능해.

하지만 우린 영원히 살지 못하죠. 그래서 자손이 필요해요.

엄마….

그러나 생명체의 특성이 끊임없이 성장하고 변형되는 것이라고 가정한다면,

엄마가 이루지 못한 도그쇼 1등을 해다오, 아들아.

알겠어요, 엄마.

생명체가 처음에는 하나였다가 여럿이 되는 데 대해 전혀 놀랄 것이 없어.

햄스터 한 쌍을 샀어요.

얼마 후 새끼가 태어났죠.

우리 새끼들이에요.

아빠.

엄마.

이럴 수가! 6개월이 지난 지금은 수십 마리로 번식했어요.

찍찍! 찍!

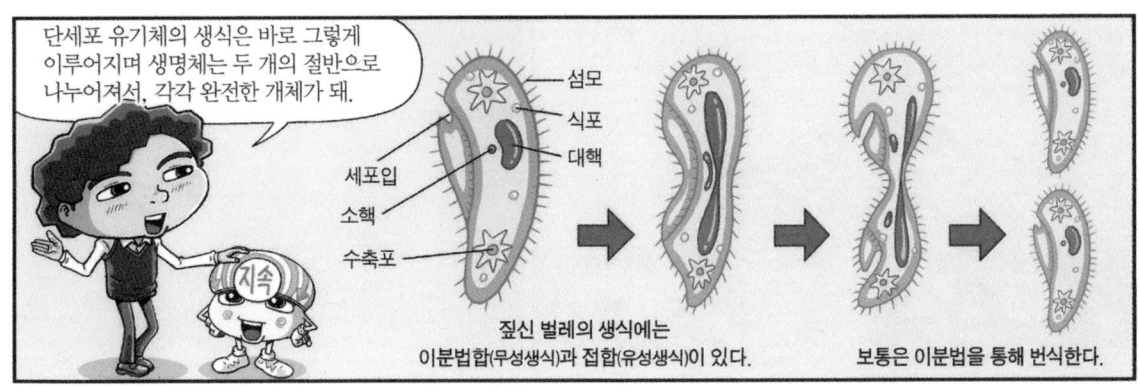

단세포 유기체의 생식은 바로 그렇게 이루어지며 생명체는 두 개의 절반으로 나누어져서, 각각 완전한 개체가 돼.

지속

섬모
식포
대핵
세포입
소핵
수축포

짚신 벌레의 생식에는 이분법합(무성생식)과 접합(유성생식)이 있다.

보통은 이분법을 통해 번식한다.

의식 상태의 지속과 마찬가지로 생명체는 다양한 요소들이 상호 침투하는 연속적 진행 과정을 겪어.

생명체는 각각 자신의 유전적 성향들을 실현하고 환경과 상호 작용하면서 살아갑니다.

우린 사막여우야. 척박한 사막에서 살아가지.

자연적으로 폐쇄된 체계를 구축하는 경향이 있다.

우린 바다와 상호작용하며 살아가지.

바다를 떠나선 살 수 없어.

생명체는 성체를 수단으로 하여 끝없이 진행하는 연속적 흐름을 추구해.

생명체의 발달은 지속의 연속적인 기록, 즉 현재 속의 과거의 존속과 유기적인 기억의 기록을 함축한 거야.

변화의 연속,

과거의 현재 안의 보존,

생명체는 이 속성들을 의식과 더불어 공유하는 것처럼 보여.

여기에서 한 발 더 나아가 우리는 생명체가 의식적 활동과 같은 발명이고 부단한 창조의 결과라고 말할 수 있을까?

안녕!

♬─

어? 창조도 왔네!

베르그송은 이를 설명하기 위해 자신의 독특한 진화론을 도입했는데 그것이 바로 《창조적 진화》야.

《창조적 진화》 앞부분에서는 어떤 진화론적인 생각을 하는지 명확하게 밝히지 않아.

제 생각을 알려면 《창조적 진화》를 끝까지 읽어 봐야 할 겁니다.

베르그송은 생명의 진화 과정을 말하려면 과학적인 입장 외에 반드시 철학적인 입장이 있어야 하고,

생명의 진화란?

날 빼놓고 설명해선 안 되지.

그것은 과학적 진화론의 사실들과 모순되지 않을 수 있음을 강조했어.

너의 부족한 점을 내가 보완해 줄게.

그러므로 진화론의 이론적 주장이 과학(특히 생물학)에 꼭 필요한 것처럼,

널 위해 준비했어.

이제는 모든 철학에 진화론의 언어가 필수적이라고 생각하는 거야.

이건 널 위해 준비했지.

이를 통해 베르그송은 물질과 생명의 통합을 시도했어. 그는 《창조적 진화》에서 물질과 생명의 이분법을 극복하고,

창조는 우리의 의식에서뿐만 아니라 물질과 생명체, 나아가 우주 전체에 성립한다는 것을 보여 주고자 했어.

'지속', 그것은 과거를 현재 속에 연장시키는 방식이며,

생명체에 있어서 새로운 질적 차이를 창조해 내는 생성의 운동을 설명하는 핵심이야.

이제 베르그송이 《창조적 진화》 맨 앞에서 지속을 말한 이유를 알겠지?

들뢰즈와 프랑스 철학자들

질 들뢰즈(Gilles Deleuze 1925년~1995년)

질 들뢰즈는 20세기의 프랑스를 대표하는 철학자입니다. 그는 스피노자와 니체의 철학을 재해석했고, 베르그송의 철학을 발전시켰습니다.

들뢰즈는 특히 인식론으로 유명합니다. 들뢰즈는 과거의 철학자들이 가졌던 인식론은 사유하는 방법에 문제 의식을 갖지 않는 오류를 범했다고 주장했습니다. 아리스토텔레스나 데카르트와 같은 철학자들은 진리는 발견하기 어려운 것이므로 옳고 그른 것을 판단하기 어렵지만 사유하는 행위는 원칙적으로 올바르다는 생각을 했는데 그것이 잘못되었

들뢰즈

다는 것입니다. 들뢰즈는 진리 자체가 우리가 생각하는 방향을 바꿀 수 있고, 사람들은 문제를 풀기보다는 그 진리에 따라 결정하려는 경향이 크다고 여겼습니다. 그는 신학을 대표적인 예로 들었습니다. 성경에서 말하는 인간의 원죄, 원죄가 없는 처녀 잉태, 성육신 등을 신학자들이 모두 받아들인다면 그것을 연구하는 방법 역시 모두 합리적이라고 생각할 수밖에 없다는 것입니다.

1960년대 이후 질 들뢰즈는 문학과 영화 등 예술 전반에 큰 영향을 끼치는 다양한 개념들을 창조했습니다. 대표적인 예로 노마드(nomad)를 들 수 있습니다. 노마드는 '유목민'을 의미하는 단어인데 현대 철학과 예술에서 중요한 개념이 되었습니다. 노마드는 여러 분야에서 특정한 가치와 삶의 방식에 얽매이지 않고 끊임없이 자기를 부정하면서 새로운 자아를 찾아가는 새로운 인류를 견인하는 사상적 토대가 되었습니다. 들뢰즈는 새로운 개념들을 제시하고 이를 통해 인간의 문명이 한 차원 높은 것으로 발전하기를 원했습니다. 같은 시대를 살았던 미셸 푸코는 들뢰즈의 철학과 다양한 활동을 높이 평가하여 '사상계에 벼락과도 같은 큰 변화가 일어났다. 이 변화는 들뢰즈라는 이름을 갖게 될 것이다.'라는 말을 하기도 했습니다.

미셸 푸코(Michel Foucault, 1926년~1984년)

미셸 푸코는 길지 않은 삶을 살았지만 노동자, 죄수, 이민자, 동성애자 등의 사회 소외 계층과 정

치적으로 핍박받는 이들의 삶을 변호하는 일에 앞장선 행동하는 철학자였습니다.

푸코는 특별히 권력에 대해 비판적인 견해를 보인 것으로 유명합니다. 그는 지배 계급이 체제를 유지하기 위해 이용한 법률과 억압적 통치 구조를 파헤치고 이를 사람들에게 알리는 일에 평생을 바쳤습니다. 대표적인 것이 정신병과 그 치료의 역사에 관한 내용을 담은 《감시와 처벌》(1975)이라는 책입니다. 그는 책에서 정신병원이나 감옥 등은 인간의 배타성을 보여 주는 사회적 장치라고 말했습니다. 푸코는 이런 장치를 통해 인간은 합리라는 이름으로 자신들과 동일성을 함께 하지 않는 타인들에게 야만적인 폭력을 행사한다고 했습니다. 오늘날 백인 사회

푸코

에서 벌어지고 있는 유색 인종에 대한 테러를 보면 푸코의 생각이 옳다는 것을 알 수 있습니다. 푸코는 현대의 권력은 이런 타인에 대한 배제에서 시작했으며 이런 장치를 연구하면 권력의 발달과 그 이면에 있는 음모를 읽을 수 있다고 주장했습니다.

장 보드리야르(Jean Baudrillard 1929년~2007년)

장 보드리야르는 철학자이자 사회학자입니다. 그는 자신만의 독특한 시각으로 서구 자본주의와 정보화 사회의 모순을 파헤쳤습니다. 그래서 포스트모더니즘을 말할 때 빠질 수 없는 인물이 되었습니다.

보들리야르의 대표적인 이론은 '시뮬라시옹(Simulation)'입니다. 영어로는 시뮬레이션, 우리말로는 '거짓으로 꾸밈'으로 해석할 수 있는 단어입니다. 그의 이론에 따르면 우리가 살고 있는 세계에는 실재가 아닌 가짜, 즉 실재의 복사판이 아주 많이 있고 어떤 경우에는 복사판이 실재 노릇을 하는 세계입니다. 복사판이 실재보다 더욱 실재 같은 실재(하이퍼리얼리티)를 생산하여 더 이상 원본은 존중받지 못하는 세계입니다.

보드리야르

오늘날 인터넷을 기반으로 하는 첨단 매스미디어의 정보의 대량 증식과 유포를 보면 실감할 수 있습니다. 실제로 현대인의 대다수는 온갖 정보를 실재처럼 받아들이려는 경향이 아주 큽니다. 보드리야르는 우리가 이런 사회에서 살고 있으므로 우리의 사유는 중단되고 역사의 발전은 더 이상 없을 것이라고 경고합니다. 그는 현대 사회를 일컬어 정보는 점점 많아지고 의미는 점점 사라지는 시대라고 했습니다.

기계론과 목적론의 문제점

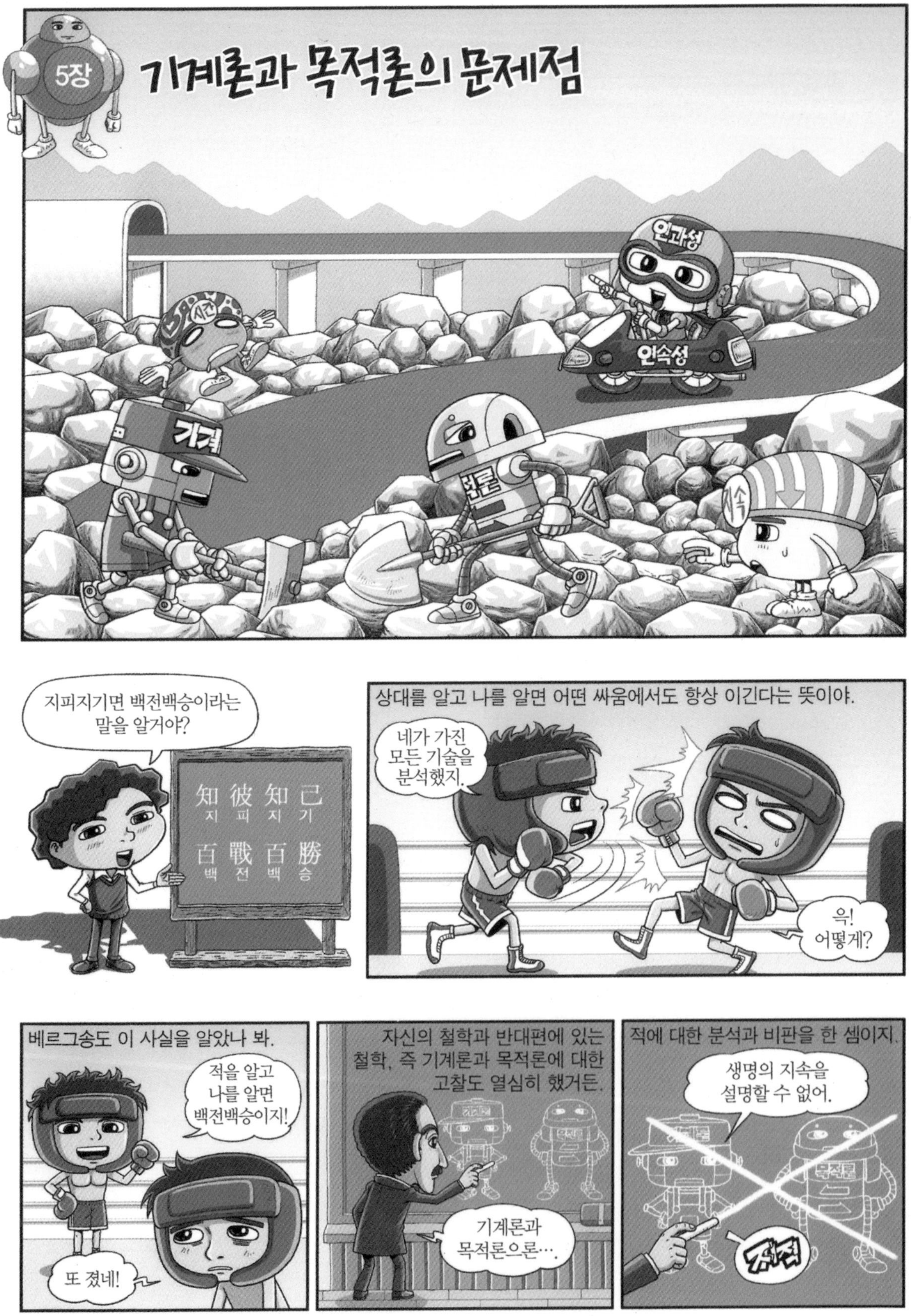

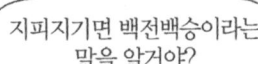

지피지기면 백전백승이라는 말을 알거야?

知彼 知己
지피 지기
百戰百勝
백전백승

상대를 알고 나를 알면 어떤 싸움에서도 항상 이긴다는 뜻이야.

네가 가진 모든 기술을 분석했지.

윽! 어떻게?

베르그송도 이 사실을 알았나 봐.

적을 알고 나를 알면 백전백승이지!

또 졌네!

자신의 철학과 반대편에 있는 철학, 즉 기계론과 목적론에 대한 고찰도 열심히 했거든.

기계론과 목적론으론….

적에 대한 분석과 비판을 한 셈이지.

생명의 지속을 설명할 수 없어.

기계론에 대한 고찰

기계론은 운동을 외부의 힘에 의한 충돌 법칙으로 설명합니다.

베르그송은 '(극단적) 기계론'은 본래 모든 물질을 수동적으로 본다고 생각했어.

기계론자들은 운동을 수학적 방식으로 이해해.

난 평균 시속 10km로 두 시간을 달렸어.

20km지점

> *원서를 보면 기계론 앞에 극단적이라는 단어가 자주 붙는다. 이 책에서는 그냥 기계론이라고 썼다.

그 결과 기계론은 인과성과 연속성을 필연적으로 내포하게 되었어.

인과성이란 자연에서 일어나는 모든 현상에는 반드시 원인과 결과가 있다는 뜻이야.

아니 땐 굴뚝에 연기가 나겠어?

결과

원인

인과성은 '같은 것이 같은 것을 낳는다.'는 생각에 바탕을 둬.

콩 심은 데 콩 나고 팥 심은 데 팥 나지.

또한 연속성이란 원인과 결과 사이의 일들이 연속적으로 일어나는 것을 말해.

원인

연속성

결과

인과성과 연속성을 토대로 하는 기계론을 적극적으로 주장한 인물에는 라플라스(1749~1827)가 있어.

그는 프랑스의 뉴턴으로 알려질 정도로 천재적인 과학자이자 수학자야.

science

수학

라플라스는 〈천체역학〉이라는 책을 써서 기하학적 방법으로 당시 물리학을 집대성했고,

블랙홀과 중력 붕괴 등을 이론적으로 예측하기도 했어.

또한 라플라스의 변환, 라플라스의 방정식 등을 남겨 수학의 발전에도 아주 큰 공을 세웠어.

널 위해 준비했어.

라플라스의 방정식

수학

오 예~.

그는 한 때 파리 군관학교에서 학생들을 가르쳤는데 그 유명한 나폴레옹이 그때 제자 중의 한 사람이었어.

선생님, 질문 있습니다.

그래. 나폴레옹, 뭐가 궁금하지?

라플라스가 한 말에 중에 기계론을 아주 함축적으로 잘 나타낸 말이 있어.

우주에 있는 모든 원자의 정확한 위치와 운동량을 알고 있는 지성적인 존재가 있다면,

그 존재는 뉴턴의 운동 법칙을 이용해, 과거와 현재의 모든 현상을 설명해 주고, 미래까지 예언할 수 있을 것입니다.

지성

그는 초기 조건만 정확하게 알면 모든 일을 예상할 수 있다는 생각을 했어.

궁금한 게 뭐야? 내가 다 알려주지.

사람들은 그의 글 속에 등장하는 '지성적인 존재'를 라플라스의 악마로 불렀어.

흐흐흐~.

라플라스의 악마다!

그런데 이런 기계론적 사고는 지성(이성)에 바탕을 둬.

지성

지성은 여러 가지 현상들의 동일성이나 관계성을 연구 대상으로 삼고,

지성

응?

그 결과를 법칙으로 설명하기를 좋아하지.

사과가 떨어진 이유는 뉴턴이 말한 만유인력의 법칙 때문이야.

지성

이건 생명 현상에 대해서도 마찬가지야.

지성 법칙

이렇게 하면 4장에서 말했던 것처럼 생명과 물질의 본성(본질)이 같다는 결론을 도출하기가 어려워.

우리의 본성은 같아!

물질

지성

말도 안 돼. 그걸 어떻게 증명하지?

베르그송은 생명은 성체를 매개로 하여 배*에서 배로 가는 흐름처럼 나타난다고 했어.

모든 일이 진행되는 양상을 볼 때 생명체 그 자체는 낡은 배를 돌출시켜 새로운 배로 연속되게 하는 하나의 싹에 불과합니다.

본질적인 것은 무한히 계속되는 과정의 연속성이야.

* 배(胚): 발생 단계 초기의 어린 생물을 말한다.

눈에 보이는 각 생명체는 자신에게 살도록 주어진 짧은 시간의 간격 동안 이 보이지 않는 과정 위에 말을 타듯 걸터앉아 있습니다.

그런데 이러한 생명의 연속성에 주의하면 할수록 생명체의 진화는 의식의 진화에 접근한다는 것을 알게 돼.

넌 누구냐!

의식

안녕~.

의식의 진화에서는 과거가 현재를 압박하여 이전의 것들과 공통분모가 없는 새로운 형태를 분출하게 하거든.

뭔가를 만들어 보란 말이야.

과거

현재!

이건 어때?

사람들은 미래에 대해서 과거와 유사한 것,

작년에도 이맘때 쯤 태풍이 왔었어!

6월

또는 과거의 것들과 유사한 요소들로 재구성할 수 있는 것만을 예측할 수 있어.

미리 제방을 쌓고 작물 피해를 막아야겠어.

천문학과 물리학, 그리고 화학이 연구한 결과들을 보면 잘 알 수 있지.

역시 올해도 태풍이 찾아왔군.

후우웅

이때 우리가 하는 일이란 일단 사건이 발생한 후 그것을 분석하여 발견되는 요소들로 사건을 설명하는 것뿐이야.

제방 덕분에 작물엔 피해가 없었군.

돌연변이를 보면 사람의 의식과 마찬가지로 생물도 매순간 무엇을 창조하고 있다고 말할 수 있어.

우린 돌연변이 특공대!

말도 안 돼!

자성

예측 가능한 것만 보니 말이 안 되겠지.

그런데 지성적인 사유에 익숙한 사람들은 이러한 생명체의 활동이 매우 독창적이며 예측불가능하다는 생각에 반대해.

우리는 '동일한 것이 동일한 것을 낳는다.'라는 원칙을 지킵니다.

동일한 것이 동일한 것을 낳는다.

지성

그리고 그 원칙을 적용할 수 있도록 동일한 것을 찾아 끝까지 도전합시다.

옳소!

동일한 지성

과학은 이 일을 가능한 한 최고의 정확성과 엄밀성에 이르게 해.

정확하게

엄밀하게

하지만 본질적 특성을 깨닫지는 못해.

하지만 넌 뭔가 부족해.

뭐지?

과학은 사물로부터 반복의 측면만을 얻기 때문이야.

그건 과학이 날 무시했기 때문이야.

지속

science

과학은 지속의 작용을 벗어나는 것 위에서만 작용할 수 있는 것 같아.

더 이상 다가오면 가만두지 않겠어.

너?

지속

cience

그렇지만 가만히 생각해 봐. 역사의 잇따르는 순간들에서

어디가?

지속의 말이 맞는 것 같아.

science

환원* 불가능하고 비가역적*인 것은 과학에서 포착되기 어려워.

과학에게선 답을 찾기가 힘들겠어.

science

이러한 환원 불가능성과 비가역성을 이해하기 위해서는

돌아와. 내가 다시 잘 설명해 줄게.

아니. 다른 방법을 찾겠어.

응!

지성

* 환원(還元) : 여러 가지 현상이나 사물을 어떤 근본적인 것으로 바꿈.
* 비가역적(非可逆的) : 주위 환경의 변화에 따라 쉽게 변하지 않는, 또는 그런 것.

사유의 근본적인 요구들에 잘 안 맞는 과학적인 습관들을 버려야 해.

돌아가. 그곳으로 가는 건 정신 위반이야.

싫어! 난 알아야겠어.

여기에 바로 철학이 중요한 역할을 하는 거야.

걱정하지 마. 도와줄게. 내 손을 잡아!

철학

생명을 물리화학적 현상들로 분해한다고 주장하는 데 있어서도 마찬가지야.

따라와!

왠지 가기 싫네!

생명체의 창조 과정을 분석해 보면 점점 더 많은 물리화학적 현상들을 발견할 수 있을 거야.

물리화학 현상

분석

하지만 물리학자들과 화학자들은 '분석' 바로 거기에서 멈춰.

어? 다 왔네!

뭐 하는 거야? 더 가야지.

철학

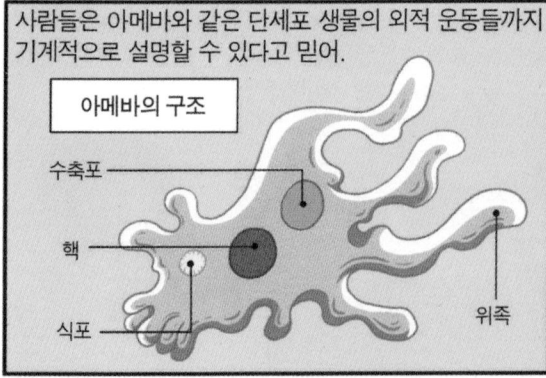

사람들은 아메바와 같은 단세포 생물의 외적 운동들까지 기계적으로 설명할 수 있다고 믿어.

아메바의 구조

수축포

핵

식포

위족

아메바가 물속에서 이동하는 것을 보면 문과 창문이 열려 있어 공기가 순환되는 방에서 소량의 먼지가 왕래하는 것과 비교할 수 있을지도 몰라.

하지만 많은 생물학자들은 아메바의 운동에 대한 물리화학적 설명을 완벽하게 하지 못하고 있어.

설명해 봐요.

대신 생명의 가장 미미한 형태들에서 심리적 활동의 흔적을 발견하고 있어.

구조적인 면 말고 또 다른 부분이….

1883년에 어떤 생물학자는 〈섬모충류에 대한 연구〉라는 제목의 논문에서 '하등 생명체의 행동 유형도 심리학적 질서에 속한다.'는 내용을 발표하기도 했어.

섬모충류에 대한연구

하등 생명체의 행동 유형도 심리학적 질서에 속한다.

또 어떤 박물학자는 세포의 발달을 연구한 후에 이런 말을 했다고 해.

세포를 연구할수록 생명의 가장 낮은 형태들조차도 기계와 차이가 많다는 것을 알게 됩니다.

이 말은 생명체에서 지속의 흔적이 나타날수록 생명체는 기계 장치와 더욱 명백하게 구별된다는 것을 의미해.

내가 너희들을 구별해 줄게.

지속

기계론적 설명은 전체로부터 인위적으로 분리시키는 일을 할 때는 편리해.

기계론

내가 널 토막내 줄게.

뭐 하는 짓이지?

그러나 전체 그 자체와,

지속

이 전체 속에서 그것의 이미지를 따라 자연적으로 형성되는 체계들을

기계론

이얍!

부웅

항상 기계적으로 설명할 수 있다는 것은 실제적으로 인정하기 어려워.

뚝

어림없지.

우리가 잘 알고 있듯이 의식에서 지속은 이와 전혀 달라.

기계론

어떻게 이럴 수 있지?

이제 알겠지?

우리는 지속을 거슬러 올라갈 수 없는 흐름으로 파악해.

그런 식으로는 나눌 수 없어.

지속

으악!

둥

그것은 우리 존재의 근본이며 우리가 소통하는 사물의 실체 자체야.

지속

우리는 기계론적인 체계의 요구에 우리의 실제적이며 종합적인 경험을 희생시킬 수는 없어.

이번엔 좀 더 강한 걸로 준비했어.

그래서 기계론을 배격해야 하는 거야.

안 돼! 저리 가.

목적론에 대한 고찰

극단적 목적론도 마찬가지의 이유로 받아들일 수 없어.

너도 안 돼!

목적론도 역시 전형적인 지성적 사고의 하나야.

라이프니츠의 '극단적 목적론'에서는 세계의 운행이 하나의 엄밀한 계획을 실현하는 것으로 간주돼.

계획! 계획!

이 경우 미래는 목적에 따라 자동으로 실현되는 것이므로 진정한 시간의 작용이 필요 없어.

넌 필요 없어!

* 여기서 시간은 3장에서 말한 시간을 말한다.

기계론적 가설처럼 목적론에서도 역시 모든 것이 주어졌다고 가정해.

우린 친구!

기계론은 과거에 있었던 원인으로 현재와 미래의 일이 일어난다고 하고

콩을 심었더니 콩이 났어.

목적론은 미래에 대한 목적이 현재의 사건을 일으킨다고 하거든.

콩 수확을 하자면 콩을 심어야 해.

이는 원인의 자리에 목적을 대체해 놓은 것에 불과하다고 할 수 있어.

목적론은 거꾸로 된 기계론이라고 할 수 있습니다.

베르그송은 목적론이 기계론보다는 조금 유연한 편이라고 말해.

제가 주장하는 것들 중 일부는 목적론에 가까울 수도 있습니다.

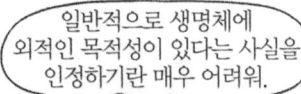

일반적으로 생명체에 외적인 목적성이 있다는 사실을 인정하기란 매우 어려워.

당연하지.

풀이 암소를 위해 존재하고,

음메~.

양이 늑대를 위해 존재한다는 가정은 실제로 받아들이기 어려울 거야.

어머, 이러지 마세요.

앙~.

이처럼 극단적인 목적론은 현실적으로 나타나는 부조화와 갈등을 설명하지 못하기 때문에 난관에 봉착해.

돼지는 우리의 장사를 위해 존재한답니다. ㅎㅎㅎ.

난 인정 못 해.

그래서 내적 목적론으로 축소되기도 하지.

진짜 내가 삼겹살 때문에 존재하는 거 맞아?

아니, 그게….

내적인 목적성을 주장하는 이들은 제법 많은 편이야.

생명체는 각각 목적을 위해 살아갑니다.

이들은 생명체 각각은 자기 자신을 위해 만들어졌고,

나는 나 자신을 위해 만들어졌다고!

그래. 나도 나 자신을 위해 만들어졌어!

맛있겠다.

생명체를 이루는 각 부분은 전체의 최대 선을 위해 협동한다는 거야.

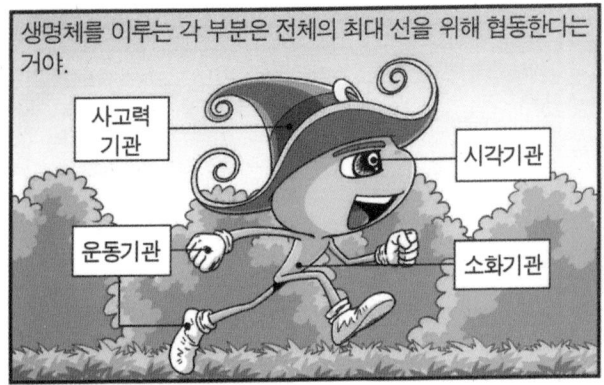

이런 주장을 한 대표적인 인물로는 라이프니츠를 들 수 있어.

진짜 그게 다일까? 날 너무 목적론적으로 보는 게 아닐까?

라이프니츠(1646~1716)는 독일의 철학자로 수학, 물리학, 철학, 지질학 등에서 빼어난 업적을 남긴 학자야.

수학에서는 뉴턴과 별도로 미적분학을 창안하였고,

미적분은 내가 먼저야.

흥! 난 인정할 수 없어.

물리학에서는 에너지 보존의 법칙을 예견하기도 했어.

에너지가 이동하더라도 양은 변하지 않을 걸?

라이프니츠는 신이 미리 이 세계에 보편적인 질서를 만들어 두었다고 주장했어.

라이프니츠는 이 질서를 바탕으로 세상이 조화롭게 움직인다고 믿었어.

세상이 조화로운 건 바로 이 질서 때문입니다.

하지만 이 세상이 하나의 계획에 따라 조화롭게 움직이는 것을 직접 확인하기란 매우 어려운 일이야.

내가 시키는 대로 해.

예를 들어 볼까? 하나의 생명체는 각각 자기 자신을 위해서 살아가는 조직들로 구성되어 있어.

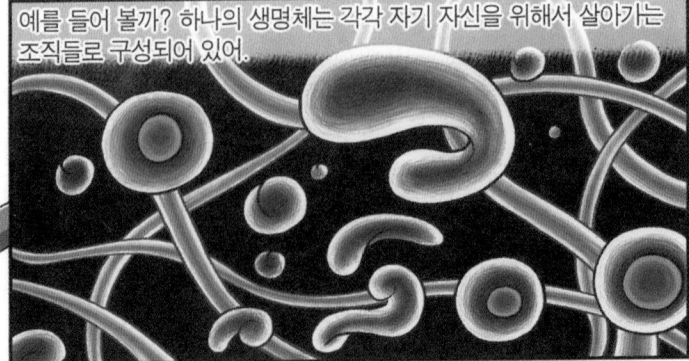

조직을 만드는 세포들은 또한 일정한 독립성을 가지고 있지.

그런데 이 중에 어떤 세포는 자신이 속한 생명체를 공격하기도 해. 대표적인 것으로 혈액 속에 있는 식세포*를 들 수 있어.

* 식세포 : 혈액이나 조직 안을 떠돌아다니면서 세균이나 이물, 조직의 분해물 따위를 포식하여 소화 · 분해하는 세포.

그리고 어떤 세포는 자신이 속한 생명체에는 특별한 역할은 하지 않고,

자신만의 고유한 삶을 영위하는데 대표적인 것으로 정자나 난자 등의 생식 세포들이 있어.

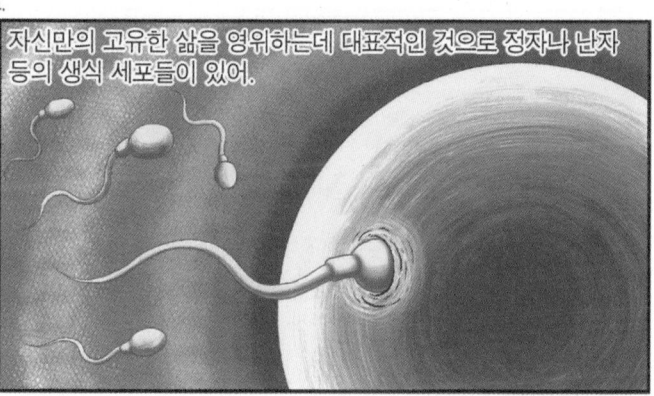

이러한 사실로 미루어 볼 때, 자연 속에는 순수하게 내적인 목적성도 없고

그럴 리가?

절대적으로 구분된 개체성도 없다는 것을 알 수 있어.

흠칫!

자연의 세계는 '조화'라는 목적을 추구하기보다는 갈등의 연속이라고 할 수 있어.

갈등
갈등
갈등

아마존의 정글을 예로 들어볼까?

하늘 위에서 비행기를 타고 보면 아름다운 자연의 모습을 띄고 있어.

하지만 그 속으로 들어가서 보면 약육강식의 무법 세상이야.

생존하기 위해서는 누군가를 죽여야 하는 곳이지.

깍!

쉬쉬~.

인간 세상도 마찬가지야.

오히려 더 사나운 정글이라고 할 수 있어.

돈을 빌렸으면 갚아야 할 거 아냐? 이렇게 도망다니면 안 되지.

죄송합니다. 며칠만 시간을 주세요.

생명체의 세계는 조화가 아니라 갈등이 더 힘을 발휘하는 세계라고 할 수 있어.

목적론은 설득력이 없는 철학이라고 할 수 있습니다.

생명체 각각의 생명 원리는 어디서 시작하고 어디서 끝날까?

생명의 원리를 찾아가다 보면 우리는 가장 먼 조상으로까지 거슬러 올라갈 거야.

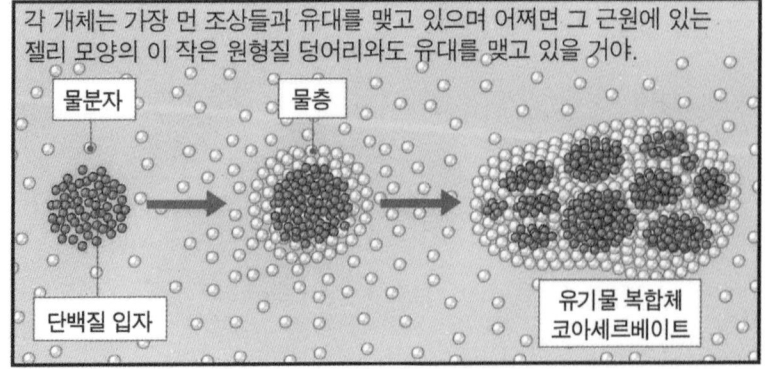

각 개체는 가장 먼 조상들과 유대를 맺고 있으며 어쩌면 그 근원에 있는 젤리 모양의 이 작은 원형질 덩어리와도 유대를 맺고 있을 거야.

물분자

물층

단백질 입자

유기물 복합체 코아세르베이트

각 생명체는 어느 정도까지는 자신의 원시 조상과 일체를 이루고 있어.

에오히푸스
에오세에 번성했던
말의 조상

메소히푸스
올리고세에
살았던 말

플리오히푸스
플라이오세에
살았던 말

동시에 내려오면서 분리된 모든 후손들과도 유대 관계를 맺고 있지.

현세의 말

이런 의미에서 각 생명체는 생명체 전체(=생명계)와 보이지 않는 끈으로 연결되어 있다고 할 수 있어.

각각의 생명체에 각각의 목적성이 있다고 생각하는 것은 의미가 없어.

따로따로라면 의미 없어.

생명계 안에 목적성이 있다면 그것은 생명 전체를 아우르는 것일 거야.

모두 함께해야 의미가 있지.

따라서 우리는 생명에 내재하는 목적성의 가설을 통째로 거부하거나

인정 못 해!

윽!

아니면 그것을 아주 다른 의미로 변형시켜야 해.

아무래도 손 좀 봐야겠다.

싫어. 이러지 마….

자연을 수학적 법칙에 지배되는 거대한 기계로 생각하거나

또는 어떤 계획의 실현으로 본다면

지구건설 프로젝트

진화 과정에 예측 불가능한 어떤 창조가 있다는 사실을 인정할 수 없어.

그 안엔 내가 없어. 인정 못 해!

창조

넌 또 뭐니?

이런 점에서 극단적인 목적론과 극단적 기계론은 서로 잘 통한다고 할 수 있을 거야.

우린 친구아이가.

헐~

기계론과 목적론의 바탕이 되는 지성(이성)은 지속을 혐오해.

흉측해. 혐오스러워.

지성

내가 왜?

지속

그리고 자신이 접촉하는 모든 것을 고체화시켜 버려.

얼음!

!

기계론자들과 목적론자들은 실재적 시간을 사유하지 않아.

넌 저리 가!

힝~

시간

그러나 우리는 생활 속에서 실재적 지속의 시간을 체험하면서 살고 있어.

지속

시간

생명은 지성을 넘어서기 때문이야.

윽!

지성

기계론과 목적론은 자연과 인간 사회의 중심에 있는 빛나는 핵만 고려해.

껍데기는 필요 없어. 알맹이만 있음 돼.

생명의 내적 운동을 파악하기 위해서는 응축된 것, 즉 핵 외에도

핵 이상으로 중요한 전체를 봐야 한다는 사실을 잊고 있는 거야.

나무만 봐선 그 산을 알 수 없지!

비록 불분명하고 희미하지만 가장자리가 존재한다면

철학자는 거기에서 핵보다 더 많은 중요성을 발견해야 해.

다시 봐. 무엇이 중요한지.

핵을 핵이라고 주장할 수 있는 이유는 가장자리가 현존하기 때문이니까. 껍데기 없는 알맹이는 존재할 수 없어.

우리는 우리의 사유를 가두어 놓은 기계론과 극단적 목적론의 틀에서 벗어나야해.

너희들은 이제 지긋지긋해.

그러면 실재는 우리에게 끊임없는 새로움의 분출로 나타날 거야.

기계론과 목적론은 우리의 행동에 대해 취해진 외적 관점에 불과해.

어떻게 하지?

그러나 우리의 행동은 실제로는 그 둘 사이를 미끄러져 나가 훨씬 더 멀리까지 확장돼.

우리가 올라서기에는 너무 높아.

인류 역사를 볼 때 우리의 지성은 아주 교만해졌어.

타고난 권리에 의해서,

또는 학습에 의해서 진리의 모든 본질적 요소들을 소유하고 있다고 착각하고 있지.

하지만 우리의 지성은 언제나 진화한 것, 즉 진화의 결과에만 관계할 뿐이야.

결과를 만드는 행위인 진화 자체에는 관계하지 않아.

우리가 지향하는 생명철학은 바로 그러한 거야.

생명철학은 기계론과 목적론을 동시에 넘어서고자 해.

우리의 생명은 유일하고 동일한 약동의 연속이야.

그 약동이 진화의 분기하는 노선들로 나누어졌어.

창조적 진화

생명체들은 일련의 창조가 연속적으로 덧붙여져 지금까지 무언가로 계속 성장하고 발달했어.

다윈의 진화론으로는 복잡한 기관의 점진적이고 직선적인 발달을 이해하는 데 많은 어려움이 있어.

당신의 진화론은 뭔가 부족해요!

부족하긴 뭐가 부족하다는 거야.

엄청나게 복잡한 기관들의 구조의 동일성을 설명하기 어려워.

그럼 우리가 닮은 이유를 설명해 줘요.

그건….

우연적인 원인들로 어떻게 시간과 공간이 서로 다른 지점에서 같은 결과가 나타나며,

우린 모습이 달라도 같은 점이 많아.

그것도 같은 순서로 다시 나타날 수 있을까?

너하고 나하고 눈 구조가 비슷해.

정말?

다윈이 말한 생존경쟁과 자연선택은 이런 문제를 해결하는 데 도움이 안 돼.

어떻게 무한히 많은 우연적 원인들이 우연적 순서로 몇 번이고 같은 결과에 도달했다고 가정할 수 있지?

서로 다른 종이 어째서 유사한 점을 가지게 된 건지 설명해 주세요.

음… 그게….

이에 대한 답은 다음 장에서 나와.

다음 장에서는 서로 다른 진화의 과정이 왜 유사한 형태들에 도달하게 되는지 설명해 줄게.

라플라스와 라플라스의 악마

프랑스의 뉴턴으로 불렸던 라플라스

피에르 시몽 라플라스(Pierre-Simon, Laplace, 1749년~1827년)는 프랑스의 대표적인 과학자이자 수학자입니다. 그와 관련된 자료가 대부분 불에 타 없어지는 바람에 그에 대해 정확하게 알려진 내용은 많지 않지만 어릴 때부터 수학적인 재능이 아주 뛰어난 것은 사실인 것 같습니다. 다음의 일화를 보면 알 수 있습니다.

라플라스

어느 날 라플라스는 달랑베르를 찾아갔다. 달랑베르(Jean Le Rond D'Alembert, 1717년~1783년)는 당시 프랑스 계몽주의를 이끈 철학자로 수학 및 물리학에서 큰 명성을 날렸던 사람이었다. 또한 그는 디드로와 함께 《백과사전》을 편찬하여 실증주의의 선구자로서 큰 업적을 남기기도 했다. 라플라스를 본 달랑베르는 처음에는 그를 매우 귀찮게 여겼다. 그리고 다시는 자신을 찾지 않도록 하기 위해 두꺼운 수학책을 던져주고 이걸 다 읽고 오라고 했다. 라플라스는 며칠 안 돼서 그를 다시 찾아갔다. 달랑베르는 화를 내며, 라플라스가 단 며칠 만에 그 책을 읽었을 리 없다며 꾸짖었다. 그러면서 달랑베르는 책에 나오는 내용 중 몇 가지를 라플라스에게 물었다. 라플라스는 명쾌한 대답을 했고 달랑베르는 그를 인정했다.

뛰어난 수학적 재능을 인정받는 라플라스는 1771년부터는 파리 군관학교에서 교편을 잡았습니다. 그곳에서 그는 나폴레옹 보나파르트를 가르치면서 인연을 맺어 1799년에 나폴레옹에 의해 내무부 장관으로 발탁되었습니다. 나폴레옹이 실각한 후에도 그는 정치적 수완을 잘 발휘하여 1817년 부르봉 왕정복고 이후 귀족이 되었습니다.

라플라스는 수학자로서 뛰어난 업적을 남겼고 물리학자로서 천체역학에 큰 기여를 했습니다. 그는 뉴턴의 중력 이론을 태양계에 성공

나폴레옹

수학

적으로 적용시켰습니다. 지구의 모양과 달의 조석 이론을 정리했고, 성운 가설을 주장하기도 했는데 이 가설에는 블랙홀과 중력 붕괴에 대한 초보적인 내용이 들어 있습니다.

라플라스의 악마

라플라스는 결정론적 세계관을 가졌습니다. 결정론적 세계관이란 지금부터 일어날 모든 현상은 현재까지 일어났던 과거의 일들이 원인이 되며, 그 원인을 정확하게 파악하면 현재와 미래에 일어날 일을 알 수 있다고 생각하는 것입니다. 라플라스는 '우주에 있는 모든 원자의 정확한 위치와 운동량을 알고 있는 존재가 있다면, 뉴턴의 운동 법칙을 이용해, 과거와 현재의 모든 현상을 설명해 주고, 미래까지 예언할 수 있을 것이다.'라는 말을 하면서 상상의 존재를 이야기 했습니다. 나중에 후배 과학자들은 그가 말한 상상의 존재를 '라플라스의 악마' 또는 '라플라스의 도깨비'라 불렀습니다.

그런데 이런 상상의 존재는 독일의 수학자 라이프니츠(Gottfried Wilhelm Leibniz, 1646년~1716년)가 먼저 말한 바 있습니다. 그는 모든 시대의 사건들을 볼 수 있는 과학자를 상상하면서 다음과 같은 말을 했습니다.

모든 것은 수학적으로 진행된다. 만약 누군가가 사물들의 내부를 볼 수 있는 충분한 통찰력을 가질 수 있다면, 그리고 더욱이 모든 상황을 생각하고 그것들을 고려할 수 있는 충분한 기억력과 지식을 가진다면 그는 예언가가 되고 거울에서처럼 현재에 미래를 볼 수 있을 것이다.

라플라스는 라이프니츠의 생각을 발전시킨 것입니다. 하지만 라플라스의 악마로 상징되는 그의 생각은 즉시 비판을 받았습니다. 당시 사람들은 라플라스 악마가 알고 있는 정보의 양은 엄청나게 많아야 할 것이고 그런 수많은 정보를 보관할 곳은 이 우주에 없다는 이유로 그를 몰아세운 것이지요. 나중에 그의 세계관은 잘못된 것임이 과학적으로 입증되었습니다. 현대 물리학을 대표하는 양자역학에 따르면 모든 현상은 확률적이기 때문입니다. 베르너 하이젠베르크는 한 물체에 대해서 위치와 운동량을 동시에 정확하게 아는 것은 불가능하다는 것을 과학적으로 입증했고 이를 불확정성 원리라고 했습니다. 자연에는 우리가 넘을 수 없는 측정의 한계가 있으며 그것은 과학의 문제가 아니라 자연의 본질이라는 것을 라플라스는 몰랐던 것입니다.

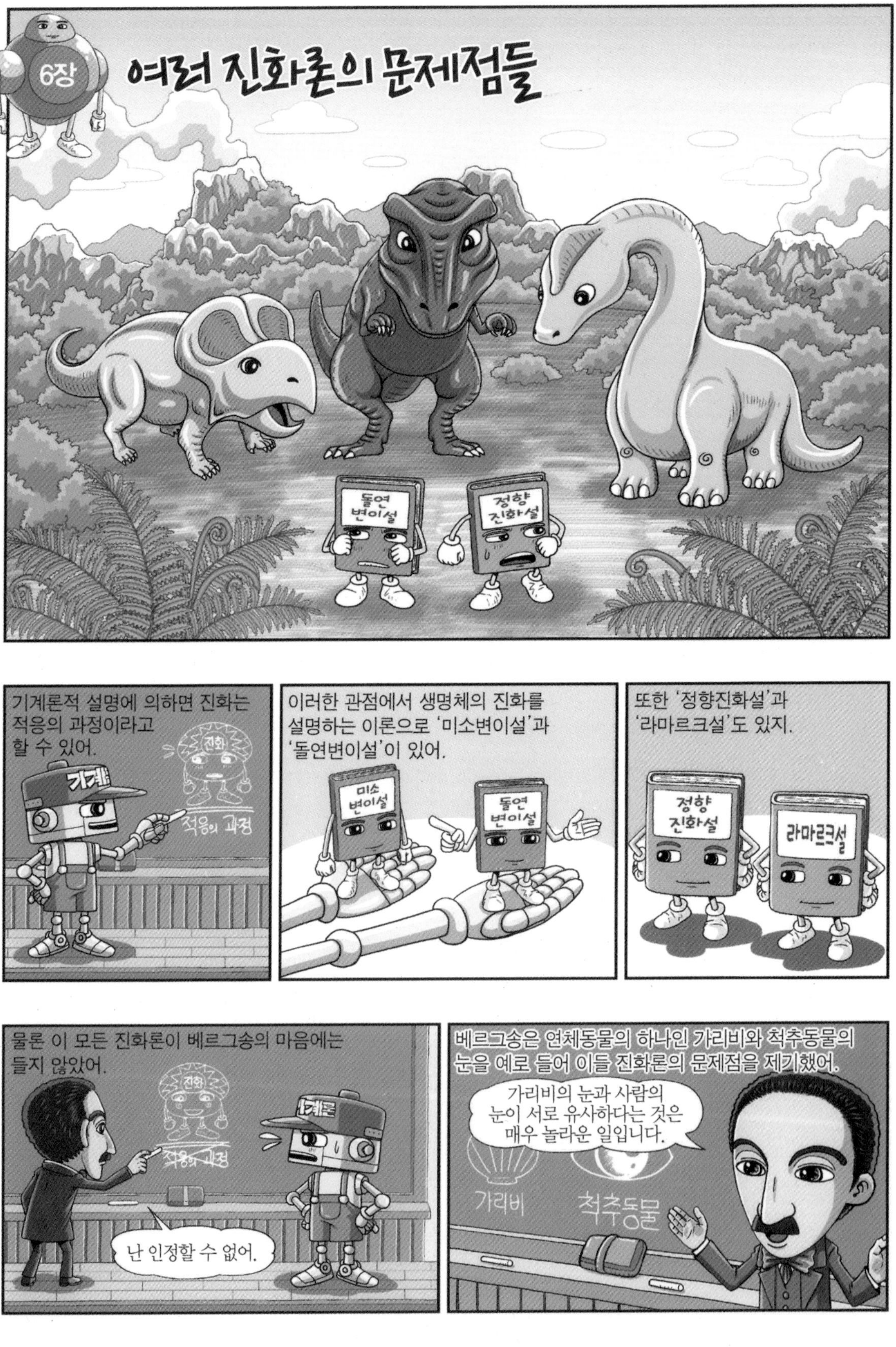

6장 여러 진화론의 문제점들

기계론적 설명에 의하면 진화는 적응의 과정이라고 할 수 있어.

이러한 관점에서 생명체의 진화를 설명하는 이론으로 '미소변이설'과 '돌연변이설'이 있어.

또한 '정향진화설'과 '라마르크설'도 있지.

물론 이 모든 진화론이 베르그송의 마음에는 들지 않았어.

난 인정할 수 없어.

베르그송은 연체동물의 하나인 가리비와 척추동물의 눈을 예로 들어 이들 진화론의 문제점을 제기했어.

가리비의 눈과 사람의 눈이 서로 유사하다는 것은 매우 놀라운 일입니다.

《창조적 진화》에서는 그냥 척추동물이라고 되어 있는데, 이 책에서는 이해를 돕기 위해 사람의 눈이라고 하자.

가리비의 눈은 사람의 눈처럼 세포 구조로 된 망막, 각막, 수정체 등 복잡한 조직들로 이루어져 있어.

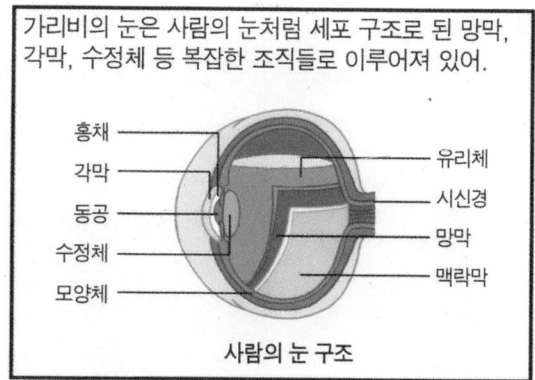

사람의 눈 구조

눈은 가리비나 사람 모두에게 매우 중요한 신체 기관이야.

앞이 안 보여!

눈이 없다면 먹이를 찾기 힘들 테고

윽!

당연히 생존하기도 어렵겠지.

끄윽!

우리는 가리비가 복잡한 구조의 눈을 가지기 훨씬 이전에 연체동물과 척추동물이 공통의 조상에서 갈라졌다는 사실을 잘 알고 있어.

가리비와 같은 조상이라니 기분이 그런데.

그렇다면 가리비와 사람의 눈이 가지는 구조의 유사성은 어디에서 유래했을까?

이를 설명하는 데에는 두 종류의 진화론이 있어. 하나는 '우연'에 의한 변이로 같은 구조의 눈을 가졌다는 가설이야. '미소변이설'과 '돌연변이설'이 여기에 속하지.

다른 하나는 외적 조건들의 영향 아래 일정한 방향으로 변이가 이루어졌다는 가설이야. '정향진화설'과 '라마르크설'이 여기에 속해.

미소변이설과
돌연변이설

먼저 '우연'에 의해 변이가 일어났다는
설명부터 알아볼 거야. 바로 '미소변이설'과
'돌연변이설'이야.

먼저 다윈이 주장했던
'미소변이설'부터 알아보자.

다윈은 생존에 유리한 변이들이 자연에
선택되어 적응하고,

이런,
잎이 너무
높이 있네.

불리한 변이들은 자연에 선택을 받지
못해 제거된다고 했어.

배고파….

후후. 과연 다윈의
주장이 옳을까요?

베르그송은 다윈의 주장이
옳다고 가정하고 우연에 의해 생긴
작은 차이들이 계속 쌓여 종의 진화가
일어날 때의 문제점에 대해 자신의
생각을 다음과 같이 말했어.

눈이라는 기관을 이루고 있는
망막의 섬세한 구조가 발달하고
복잡하게 된다고 합시다.

눈의 모든 부분이
최대치가 되었어..

하지만 이러한 진보는 시각기관 자체의
여러 부분들과 함께 시각 중추가 동시에
발달하지 않는다면 시각을 촉진하기는커녕
아마도 장애가 될 겁니다.

그런데 이상해.
앞이 안보여.

모든 기관이 서로 조화를 이루고 있어야
제 기능을 발휘하니까.

우리 모두 힘을 모아
눈을 만들어 봅시다.

우연의 힘을
보여 줍시다.

변이들이 우연히 일어난다면 시각기관의 모든 부분에서 동시에
일어나야 하고 조화를 잘 이루어야 할 거야.

완전한 눈을 위해서
조화가 필수입니다.

앞서거나 뒤쳐져선
안 됩니다.

한지만 이러한 상호조화적인 변이가 우연하게 일어난다는 것은 가능성이 매우 희박해.

우-

다윈이 그래서 택한 것이 바로 미소변이였어.

너희들의 문제를 내가 해결해 주지.

미소변이설

미소변이란 자연선택의 결과로 조금씩 누적되는 매우 가벼운 변이야.

내 이름처럼 아주 조금씩 변한다면 문제없을 거야.

아 그래서 미소변이!

미소변이설

다윈은 우연히 일어난 미소변이들이 오랜 세월 축적되어 선택이나 도태의 과정을 거쳐 점진적으로 진화한다고 했지.

대표적인 예로 갈라파고스 땅거북(Galapagos Tortoise)을 들 수 있어.

미소변이설

흔히 갈라파고스 코끼리거북이라고 하지요.

전 갈라파고스 제도에만 사는 국제적 멸종위기 생물이랍니다.

이 생물은 제가 《종의 기원》을 쓰게 된 중요한 계기를 주었어요.

출판사

종의 기원

찰스다윈

저는 이 거북이 오래전에 아메리카 대륙에서 건너왔고,

새로운 곳을 찾아 여행을 떠나자!

아메리카

달라진 자연 환경으로 대륙과 다른 독자적인 진화를 했다고 생각해요.

너무 멀리 왔나 봐?

돌아갈 수가 없네.

갈라파고스 제도

오랜 세월 동안 작은 변이들이 쌓이면서 다양한 형태로 진화를 하게 되었답니다.

제가 갈라파고스 제도에 갔을 때만 해도 약 150종의 갈라파고스땅거북을 발견할 수 있었어요.

하지만 지금은 거의 멸종되었다고 해요. 인간들의 무차별적인 남획 때문이지요.

끙끙~

대부분의 생물학자들은 저의 생각을 따르고 있지요. 《이기적 유전자》의 리처드 도킨스도 그 중의 하나랍니다.

맞습니다. 맞고요. 저는 다윈 선생님의 생각에 유전자의 개념을 넣었습니다. 하하.

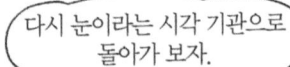

다시 눈이라는 시각 기관으로 돌아가 보자.

유리체
시신경
망막
맥락막

다윈은 시각 기관을 이루는 한 부분에서 생겨나는 차이가 사소하다면 기관의 기능을 방해하지 않을 것으로 생각했어.

자 모두들 천천히. 아주 천천히….

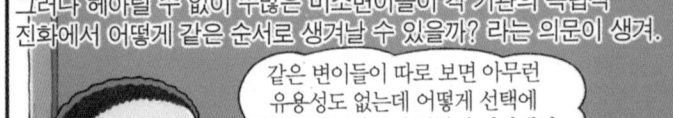

그러나 헤아릴 수 없이 수많은 미소변이들이 각 기관의 독립적 진화에서 어떻게 같은 순서로 생겨날 수 있을까? 라는 의문이 생겨.

같은 변이들이 따로 보면 아무런 유용성도 없는데 어떻게 선택에 의해 보존되었으며 각각의 기관에서 같은 순서로 축적될 수 있을까요?

다윈의 진화론은 결국 우연에 의한 변이들이 기계적 과정에 의해 차례로 겹쳐지는 일방적 과정에 지나지 않아.

다윈이 주장하는 미소변이설은 어떻게 보면 일리가 있지만,

미소변이설

작은 변이들이 쌓여 다양한 형태로 진화를 하게 됩니다.

모두 우연에 의한 것이라는 큰 문제점이 있습니다.

그것들이 아무리 축적되고 선택의 과정을 거친다고 해도 전체의 구조에 커다란 영향을 주지 않는 미소변이들은 종을 형성하는 특이성을 만들어 내기 매우 어렵다고 생각합니다.

어쩌다 한두 번은 '우연'에 의해 진화가 일어날 수 있다 하더라도,

성공!

우아! 정말 좋겠다.

이러한 일이 오랜 기간 다양한 종의 진화에서 반복되어 일어날 수는 없다고 말했어.

난 실패했어.

나도 실패!

진화를 결정하는 것이 우연에 의해 일어난 미소변이들이라면 이 변이들을 보존하고 축적하기 위해 어떤 선한 신(神)이 있어야 할 겁니다.

자연 선택은 그 역할을 맡을 수 없기 때문입니다.

그럼 이번에는 '돌연변이설'에 대해 알아볼까?

돌연변이설에 따르면 새로운 종은 이전의 것과 상당히 다른 새로운 여러 형질들이 동시에 갑자기 출현하여 형성된다고 해.

난 오리지널.

난 변종 1호.

난 2호.

난 3호.

대표적인 과학자로 휴고 드 브리스 (Hugo de Vries)를 들 수 있어.

드 브리스는 네덜란드의 생물학자야. 생명체의 진화를 실험으로 설명한 최초의 과학자야.

음…!

1866년, 드 브리스는 집 주변에 왕달맞이꽃을 재배하면서 꽃의 모양 변화를 관찰했어.

그래 이번엔 꽃에 관해 연구해 보자.

그런데 그곳에서 드 브리스는 왕달맞이꽃의 새로운 변종들이 무작위로 생기는 것을 발견했어.

어? 이전에 없던 색깔의 꽃이 갑자기 나타났네?

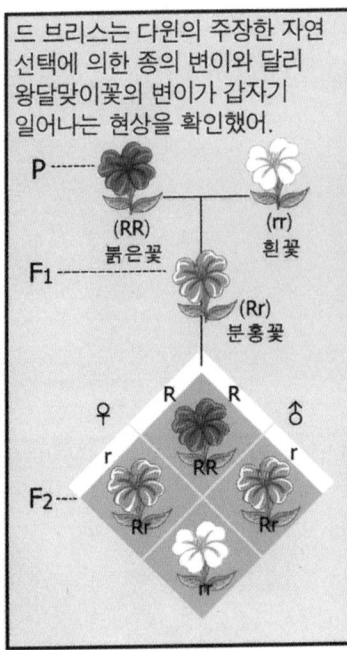

드 브리스는 다윈의 주장한 자연 선택에 의한 종의 변이와 달리 왕달맞이꽃의 변이가 갑자기 일어나는 현상을 확인했어.

P ----
(RR) 붉은꽃 (rr) 흰꽃
F_1 ----
(Rr) 분홍꽃
♀ R R ♂
r RR
F_2 ---- Rr Rr
rr

왕달맞이꽃의 변이가 갑자기 일어나니까 '돌연변이'라고 이름 짓자.

드 브리스 이후 돌연변이는 진화의 주요 원인으로 생각되어 많은 연구가 진행되었지.

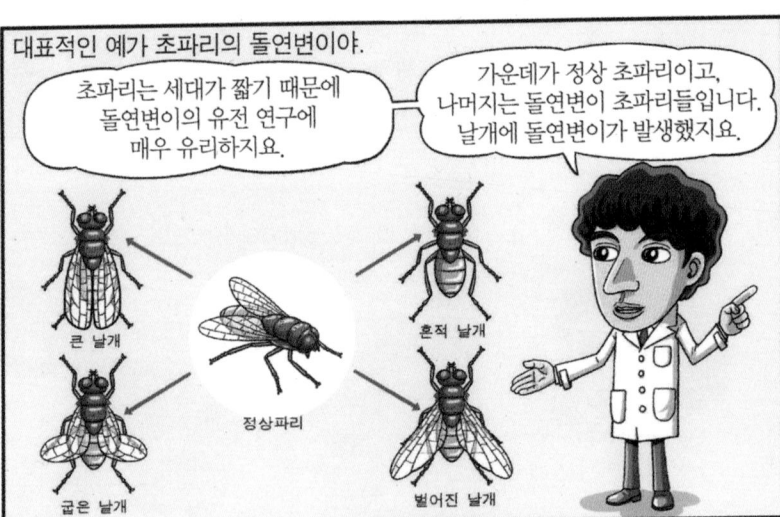

대표적인 예가 초파리의 돌연변이야.

초파리는 세대가 짧기 때문에 돌연변이의 유전 연구에 매우 유리하지요.

가운데가 정상 초파리이고, 나머지는 돌연변이 초파리들입니다. 날개에 돌연변이가 발생했지요.

큰 날개 흔적 날개 정상파리 굽은 날개 벌어진 날개

드 브리스는 생명체의 종들은 안정과 변형의 기간을 교대로 가진다고 했어.

안정 변형 안정

생명체가 불안정한 시기에 들면

어떻게 하지? 너무 높아 오를 수가 없네.

걱정하지 마, 내가 너에게 긴 팔을 만들어 줄게.

다양한 방향으로 변이를 해서 뜻하지 않은 형태의 종으로 돌연변이를 한다는 거지.

고마워. 긴 팔 덕분에 오를 수 있겠어.

베르그송은 가리비의 눈이 사람의 눈처럼 복잡한 형태를 가지는 데에는 '미소변이설'보다 '돌연변이설'이 좀 더 합리적인 설명이라고 말했어.

돌연변이설

미소변이설

인정할 수 없어!

생명체들이 헤아릴 수 없는 무한히 작은 유사성들을 차례로 획득하여 진화했다고 보는 것보다는 갑자기 돌연한 변이에 의해 진화했다는 설명이 좀 더 낫다고 생각합니다.

'미소변이설'과 '돌연변이설' 모두가 '우연'의 결과지만, '돌연변이설'에서 수행되는 기적의 횟수가 훨씬 적기 때문이지요.

난 우연이 적어.

미소변이설

돌연변이설

그렇지만 베르그송은 우연에 의한 돌연변이도 가리비와 사람의 눈이 가지는 구조적 유사성을 설명하기는 어렵다고 했어.

유리체
시신경
망막
맥락막

눈을 이루는 시각 기관들이 모두 갑자기 변형되었는데 어떻게 서로 그토록 조화를 잘 이룰 수 있을까요?

아! 그렇군요.

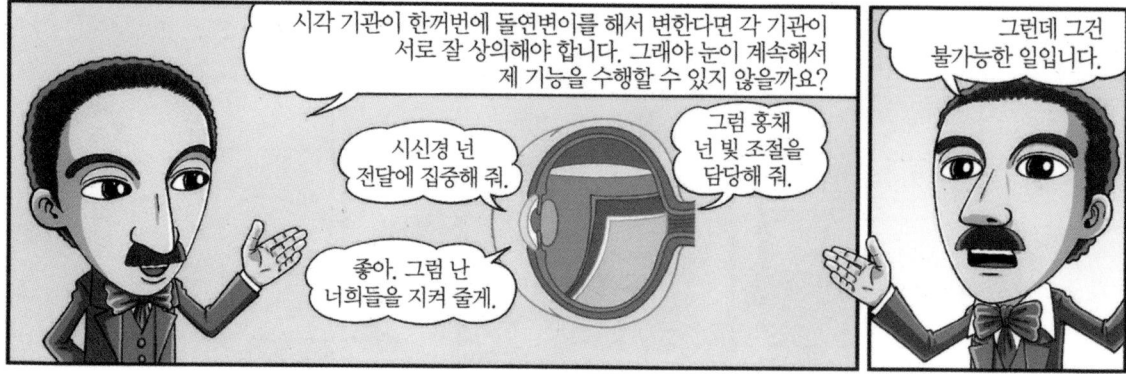

시각 기관이 한꺼번에 돌연변이를 해서 변한다면 각 기관이 서로 잘 상의해야 합니다. 그래야 눈이 계속해서 제 기능을 수행할 수 있지 않을까요?

시신경 넌 전달에 집중해 줘.

그럼 홍채 넌 빛 조절을 담당해 줘.

좋아. 그럼 난 너희들을 지켜 줄게.

그런데 그건 불가능한 일입니다.

베르그송은 단순한 우연들에 의해 돌연변이들이 같은 순서로 일어나야 하고,

여기 번호표를 나눠 주겠다. 순서대로 변이를 일으키도록! 알겠나?

네, 알겠습니다.

점차 복잡해지는 요소들이 독립적 진화의 노선을 따라서 매번 완벽한 일치를 이루어 낸다는 것은 불가능하다고 주장했어.

이러한 일이 일어나려면 미소변이 때처럼 역시 선한 신(神)이 존재해야 할 겁니다.

정향진화설과 라마르크설

이번에는 외부의 여러 조건들에 직접적인 영향을 받아서 진화가 일어난다는 진화론에 대해 알아볼 거야.

자극

자극

먼저 '정향진화설'부터 알아보자.

19세기 이후 주로 고생물학자들에 의해 주장되었어.

정향진화설

생명체가 진화할 때 생명체 내부에 있는 진화 요인이 있고,

내 안에 뭐가 있다고?

이것이 일정한 방향으로 진화를 일으킨다는 주장을 담은 이론이 바로 '정향진화설'이야.

예를 들면 말이 그래요. 말의 몸이 점점 커지고, 발가락의 모양이 단순해지는 것은 말이라는 생명체에 내재하고 있는 진화 요인에 따른 것입니다.

그럼 가리비의 눈과 사람의 눈의 진화를 '정향진화설'에서는 어떻게 설명하는지 알아보자.

유리체
시신경
정향진화설

가리비가 속한 연체동물 무리와 사람이 속한 척추동물 무리는 따로 진화해 왔어.

양쪽 다 빛에 노출된 상태에서 살아왔지.

여기서 빛은 진화를 일으키는 물리적 원인이라고 할 수 있을 거야.

안녕!

빛은 연체동물과 척추동물에 연속적으로 작용하여 신체의 일부가 일정한 방향으로 계속 변이를 일으키도록 했어.

내가 너희들의 성장을 도울 거야.

빛은 생명체에서 유용한 변이들만 남겨 놓는 선택의 도구라고 할 수 있을 거야.

저기…

따라서 생명체의 진화에 '우연'이라는 요소는 개입하기 어렵겠지?

저리가!

가리비와 사람의 눈이 가지는 구조의 유사성은 빛이라는 동일한 원인 때문이라는 설명이 가능할 거야.

점차 복잡해져 가는 눈은 빛이 물질에 가하는 심층적인 각인과 같은 것이라 할 수 있고.

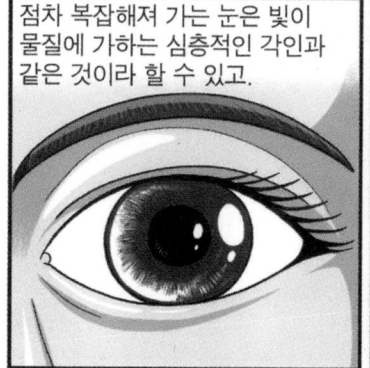

기관들이 점차 진화해서 외부 환경에 적응한다는 것은,

어떻게 하지? 자극이 너무 심해!

자극

자극

각 기관의 구조가 복잡해져서 외부 환경에서 더 많은 이점을 끌어내는 것과는 다른 거야.

하지만 난 굴하지 않겠어.

자극

자극

벌떡

눈이 빛의 영향에 점점 더 잘 적응한다는 것은 후자의 경우라고 할 수 있어.

자극

자극

자극을 이겨 낼 때마다 난 한층 강해질 거야.

그러나 사람들은 별 생각 없이 후자에서 전자의 경우로 눈의 진화를 해석하곤 해.

눈이 생겨난 것은 빛이란 환경적 요인이 있어서야.

자극

아니지. 내가 그 환경에 잘 적응했기 때문이야.

기계론적으로 생명체의 진화를 설명하는 생물학자들은

환경의 영향을 받는 무기물질의 수동적 적응과

이 영향을 적절히 이용하는 생명체의 능동적 적응을 일치시키려고 해.

하나로 합쳐야 해!

자연은 보통 수동적 적응으로 시작하여 능동적으로 반응하는 자동적인 체제를 갖추기 때문이야.

이번엔 눈을 만들어 줄게.

아니, 이젠 내 힘으로 할 거야.

그러나 빛이라는 물리적인 요인으로 그것을 활용하는 기계(즉 눈)를 만들 수 있을까?

눈을 만들기가 쉽지 않네.

그래서 내 힘으로 한다니까…

물론 섬모를 가진 적충들은 빛에 반응해.

하지만 빛의 영향이 물리적으로 신경계, 근육계, 골격계 등 척추동물에서 시각 기구와 관련된 모든 기관들을 만들었다는 주장은 쉽게 이해하기 어려워.

네가 생명체의 모든 것을 만든 것이 확실해?

아니 꼭 그렇다고 할 수는 없지만…

사람들은 유기체(생명체)에 자발적인 능력을 쉽게 부여하는 경향이 있어.

빛만 믿고 있을 수 없어. 내 스스로의 힘으로 만들어가야 해.

그래. 난 할 수 있어.

그래서 아주 복잡한 기계로 진화하는 신비한 능력을 가진 것으로 생각하게 해.

환경

그런데 나 진짜 잘하고 있는 거 맞아?

'정향진화설'에서는 이처럼 외적 조건들이 유기체에 일정한 방향으로 직접 변화를 야기하여 변이들을 초래한다는 생각을 해.

조금만 더 힘을 내! 그것만 이겨내면 넌 한층 강해질 거야.

꽝

환경

이 방법 말고 다른 진화의 방법은 없을까? 너무 힘들어.

여기서는 적응이 좀 더 적극적 의미를 가져.

그래 나는 해 냈어!

환경

그러나 '정향진화설'에도 문제점이 있어.

환경

정향 진화설

꽝

'정향진화설'은 여러 형질의 변이가 세대에서 세대로 정해진 방향으로 일어난다는 이론이야.

하지만 생명체의 진화 전체가 미리 결정되어 있을 리 없어.

진짜, 이게 말이 된다고 생각해?

정향 진화설

당연하지.

왜냐하면 생명체의 진화는 형태의 계속적인 창조로 나타나기 때문이야.

뭐야? 그 말은 날 무시하겠단 소리잖아.

아… 그런가?

창조

정향 진화설

창조는 누구도 예측할 수 없는 방향으로 일어나기 때문이지.

예측에 자신있나 본데 그럼 이것도 한번 받아 봐.

팅

창조

정향 진화설

윽!

라마르크주의 - 획득형질의 유전

라마르크는 생명체의 기관은 용불용(用不用)에 의해 변화하는 능력이 있다고 했어.

그리고 이렇게 획득된 변이가 후손에게 전달된다고 주장했어.

라마르크의 주장에 동조하는 생물학자들, 즉 라마르크주의자들은 새로운 종을 만드는 데 이르는 변이는 우연에 의한 것이 아니라고 생각해.

생명체의 변이는 너 때문이 아니야.

이 사람은 또 뭐라고 할까?

그 변이는 생명체 자신이 생존 조건에 적응하기 위한 노력 자체에서 나온다고 생각한 것이지.

내가 노력한다면 그 방향으로 변이할 수 있어.

음… 라마르크주의자들도 정향진화론자들이었군.

물론 이러한 생명체의 노력은 외적 환경이 주는 압력에 의해 기계적으로 반응하는 특정한 기관의 기계적 훈련이라고 볼 수도 있어.

환경

진화를 위한 훈련임을 잊지 말기를.

저놈은 또 뭐지? 어디서 본 것 같은데….

하지만 생명체의 노력이 생명체의 의식과 의지를 내포할 수도 있어.

이런다고 설마 진짜 날 기계로 보는 건 아니겠지?

이런 생각을 주장하는 대표적인 사람은 미국의 자연학자 코프(cope)*야.

코프는 북아메리칸산 화석동물의 약 30%의 이름을 붙인 신라마르크주의의 거두라고 할 수 있어.

코프와 같은 신라마르크주의자들이 주장하는 진화론은 진화 과정의 내적이고 심리학적인 원리를 받아들이기에 가장 적당한 이론이라고 할 수 있을 거야.

* Edward Drinker COPE(1840~1897) 미국의 고생물학자.

신라마르크주의자들의 진화론은 서로 독립적인 발달 선상에서 동일한 기관들의 형성을 설명하기에 매우 합당해 보이는 이론이라고 생각합니다.

동일한 환경을 이용하려는 동일한 노력은 동일한 결과에 도달하게 합니다.

따라서 이들이 사용하는 '노력'이라는 말을 좀 더 심층적이고 심리학적인 의미로 사용할 수 있는지 알아볼 필요가 있어.

만약에 이들이 사용하는 '노력'이라는 단어가 생명체의 진정한 내적 활동성을 의미한다면

우리가 일상적으로 사용하는 노력이라는 단어와는 다른 뜻을 가질 거야.

물론 라마르크가 주장한 획득형질의 유전은 생물학자들에 의해 부정되었어.

운동을 열심히 해 근육질의 몸을 가졌다 해도

으샤

획득형질의 유전은 생각할 수도 없는 것이라는 주장 때문이야.

그 근육질 몸이 자식에게 전해진다 할 수 없습니다.

뭐 하니?

너무 무거워요.

교과서에도 그렇게 되어 있지.

획득형질을 후천형질이라고도 하는데 보통은 인정하지 않고 있다.

획득형질

과학 교과서

여기서 사람들이 이해하는 획득형질이란 습관 또는 습관의 결과라고 할 수 있을 거야.

습관

습관의 결과

하지만 길들여진 습관의 기초에 자연적 성향이 없는 경우는 드물어.

근육이 운동을 통해 커지긴 했지만 처음 부터 근육은 존재했던 것처럼 말이지.

그 크기가 작았을 뿐.

으라 차차-

유전된 것이 개체의 몸이 획득한 습관인지,

몸을 보니 운동을 참 좋아하시나봐요.

아니요. 싫어합니다.

아니면 길들여진 습관에 앞서 있는 자연적 성향인지 따져 봐야 할 거야.

하지만 우리 식구들이 다 이런 몸을 가졌어요.

그냥 날 닮은 거죠.

두더지가 앞을 못 보게 된 것은 그것이 땅 밑에서 사는 습관을 가지게 되었기 때문일까?

눈을 떠도 아무것도 보이질 않네.

이것은 아직 누구도 증명하지 못했어.

아마도 두더지가 지하 생활을 할 운명에 처한 것은

땅속에서 살면 적으로부터 안전하겠지.

두더지가 가지고 있던 자연적 성향이고,

땅속에선 눈이 필요없겠어.

그에 의해 눈이 쇠약해지는 과정에 있었기 때문일 수도 있어.

이런, 너무 오래 눈을 사용하지 않았나 봐.

이 경우 시력을 잃는 경향은 두더지의 신체 자체가 획득한 것도 잃은 것도 아니야.

밖에서도 잘 보이질 않네.

단지 배에서 배로 전달되는 자연적 성향일 거야.

아들아, 네 시력은 날 닮아서야. 할아버지도 시력이 안 좋으셨지.

아 그런가요?

하지만 라마르크의 진화론에도 한계가 있어. 예를 들어 설명해 볼까?

검술 사범의 아들이 아버지보다 훨씬 더 빨리 탁월한 검술가가 되었다고 가정해 보자.

역시 내 아들이야! 나도 이루지 못한 경지를 이루다니!

이때는 아버지의 습관이 아이에게 전달되었다고 결론짓기 어려워.

역시 날 닮아 검술을 익히는 능력이 뛰어나구나.

그, 그런가요?

왜냐하면 어떤 자연적 성향이 아버지를 낳은 배에서 아들을 낳은 배로 넘어가면서 원초적 약동의 결과로 점점 더 발달할 수도 있기 때문이야.

넌 말야, 분명 대단한 검술가가 될 거야.

정말?

발 달

정말 좋아졌는데!

고마워. 덕분에 뛰어난 검술사가 될 수 있겠어.

그래서 아들에게 아버지의 것보다 더 큰 유연성을 확보해 줄 수도 있기 때문이야.

어때?

오~ 이제 정말 잘하는데.

윽!

진화가 일어나는 원인이 생명체 각각의 의식적 노력이라면 이것은 상당히 제한된 경우에만 작용할 수 있어.

아빠 뭐 해?

아니… 뭐 그냥 좀 피곤해서…

기껏해야 동물에만 개입하고 식물계에는 개입하지 않아.

우리도 분명 세대와 장소에 따라 다양한 방법으로 진화해 왔는데 우리에게도 의식이 있는 걸까?

| 조류 | 선태식물 | 양치식물 | 종자식물 |

직접 또는 간접적으로 의지의 영향을 받는 지점들에만 작용할 거야.

진화에 대한 베르그송의 생각

베르그송은 각각의 진화론이 부분적으로는 옳지만 전체적으로는 설명하기에 부족한 점이 많다고 했어.

다들 날 설명하기에 부족해.

생명체 진화를 설명하는 이론이 과학적이기 위해서는 탐구에 정확한 방향을 주어야 하는데, 그러기 위해서는 오로지 하나의 특정한 관점에 머물러야 하기 때문입니다.

'미소변이설'은 생명체의 진화가 일어나는 중요한 원인이 우연에 따른 개체적이고 작은 변이라고 주장하기 때문에 따르기 어려워.

내가 그냥 그렇게 우연히 태어났다고 생각하다니 기분 나빠.

그 차이들이 배에서 배로 개체를 통해 나아가는 어떤 충돌의 전개이기 때문에 순수한 우연이라고 생각할 수 없습니다.

배아발생도

물고기　도마뱀　거북이　닭　사람

같은 이유로 '돌연변이설'도 받아들이기 어렵다고 했어.

'돌연변이설'은 다윈의 '미소변이설'을 변형시킨 것에 불과합니다.

돌연변이설 ≒ 미소변이설

생명의 종은 어떤 주어진 순간에 전체가 변화하려는 경향에 휩싸이는데 이 변화하려는 경향이 우연에 의한 것이라고 보기 어렵습니다.

생명체가 방향이 정해진 변화를 축적하면서 스스로 점점 더 복잡한 기계로 발전해 나가는 것은 생명체의 노력과 관련이 있다고 주장했는데, 이 노력은 개체적인 노력보다 훨씬 심층적이고 독립적이어야 할 겁니다.

그래서 저는 생명체 진화의 원인이 생명체의 배(胚)와 배(胚)를 통해 다음 세대로 전달되는 생명의 근원적 약동, 즉 엘랑 비탈(Elan vital)이라는 생각을 합니다.

이 약동은 규칙적으로 유전되고 서로 첨가되어 신종을 창조하는 변이들의 심층적 원인이 됩니다.

엘랑 비탈에 대해서는 이 책의 1장에서 말한 적이 있어. 앞으로 가서 한 번 더 내용을 살펴봐.

베르그송은 생명의 진화가 생명과 자연을 이루는 각 요소들의 연합과 축적에 의해서가 아니라 분리와 분열에 의해 진행된다고 주장해.

자연은 눈을 만들기 위해 제가 손을 드는 만큼의 수고조차 하지 않았습니다.

자연의 단순한 행위는 자동적으로 무한수의 요소들로 나뉘어 발전했고, 사람들은 그것들을 하나의 동일한 관념 아래 조화를 이룬다고 보고 있는 것입니다.

베르그송은 손자국의 형태에 대한 예를 들어 이를 설명했어.

원래 《창조적 진화》에서는 쇳가루를 사용했지만, 이 책에서는 쇳가루 대신에 진흙으로 설명하자.

쇳가루는 손을 넣은 상태에서는 형태를 유지하지만 빼고 나면 형태가 무너질 가능성이 크기 때문이야.

자, 지금 내 손이 진흙 속으로 쑥 들어간다고 해 보자.

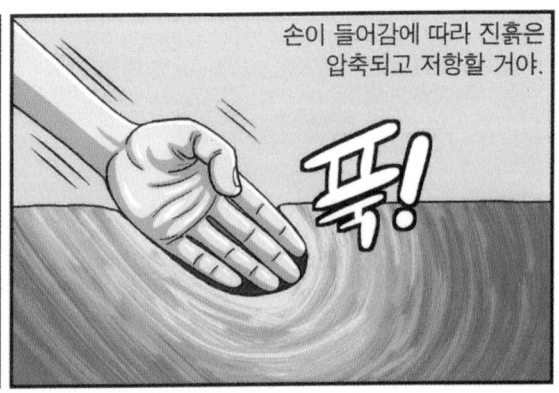

손이 들어감에 따라 진흙은 압축되고 저항할 거야.

푹!

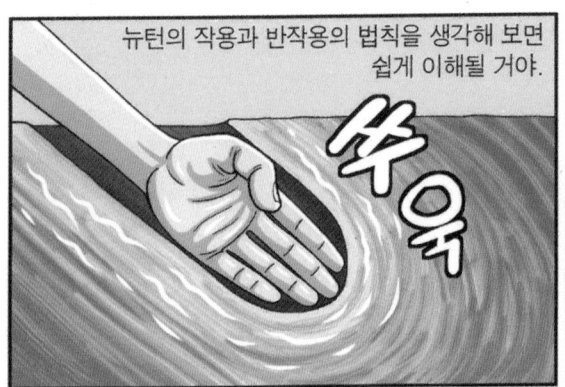

뉴턴의 작용과 반작용의 법칙을 생각해 보면 쉽게 이해될 거야.

쑤욱

손을 깊이 넣으려 하면 할수록 진흙의 저항은 점점 커져 더 이상 손을 밀어 넣기 힘든 상태에 이르겠지.

부르르르…

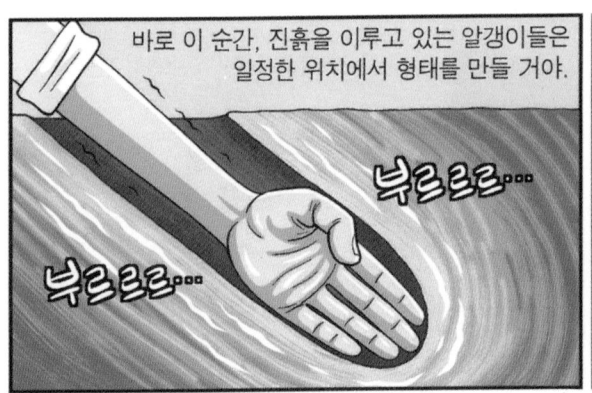

바로 이 순간, 진흙을 이루고 있는 알갱이들은 일정한 위치에서 형태를 만들 거야.

부르르르…

부르르르…

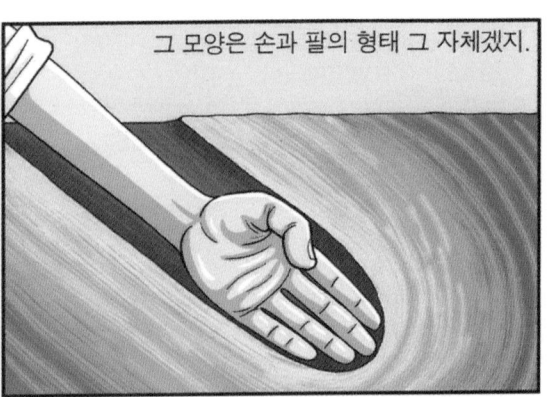

그 모양은 손과 팔의 형태 그 자체겠지.

이제 손을 빼내고, 손과 팔이 보이지 않는 것으로 남아 있다고 가정해 보자.

사람들은 그것들의 배열의 근거를 진흙 더미 자체에서, 또 그 더미에 작용한 힘에서 찾으려 할 거야.

기계론자들은 진흙 알갱이의 위치를 알갱이에 행사된 작용에 관련시킬 거야.

작용한 힘의 크기만큼 진흙의 모양이 생겨났군.

반면에 목적론자들은 원래부터 이런 형태를 만드는 계획이 있었고, 그 계획이 손의 힘 작용, 진흙 알갱이의 반작용 모두에 영향을 미쳤다고 생각할 거야.

진흙은 원래 외부 힘에 의해 변하게 되어 있었어.

하지만 진실은 그것이 아니야.

그럼 우리가 틀렸단 소리야?

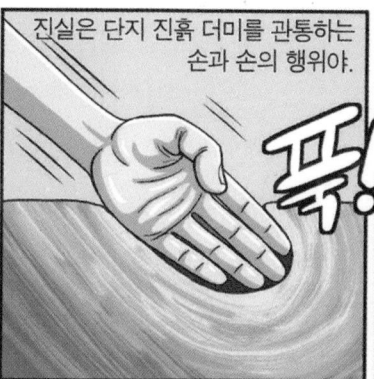

진실은 단지 진흙 더미를 관통하는 손과 손의 행위야.

푹!

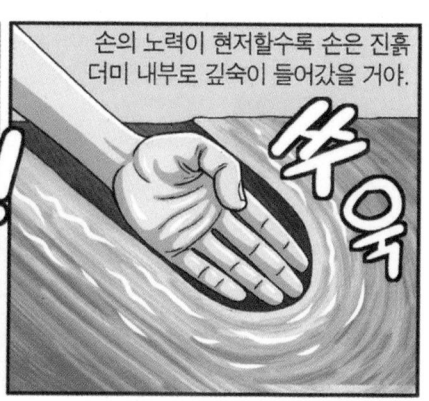

손의 노력이 현저할수록 손은 진흙 더미 내부로 깊숙이 들어갔을 거야.

쑤욱

그러나 손이 멈추면,

추

멈

손이 멈추는 곳이 어디든 순간적이고 자동적으로 진흙 알갱이들은 평형을 이루고 서로 조화를 이룰 거야.

앞에서 말한 가리비와 사람의 눈도 마찬가지야.

시각을 구성하는 불가분의 행위가 다소간 멀리 전진함에 따라 기관의 물질성도 상호 조정되었을 거야.

같이 가~.

물질

물질들이 이룬 질서는 완전무결해. 부분적일 수가 없어.

생물학자들은 가리비의 눈과 사람의 눈 사이의 놀라운 유사성을 지적했어.

가리비의 눈도 인간의 눈과 비슷하여 빛에 반응하면 사물을 인식합니다.

두 생물의 매우 먼 진화 노선을 볼 때 정말 놀라운 일이지.

물속에 사는 가리비의 눈이 사람의 눈과 닮았다는 것은 매우 놀라운 일입니다.

생물학자들은 이를 우연과 적응에 의해 일어난 물질의 기계적 과정처럼 설명해.

우연

미소 변이설

돌연 변이설

조건

정향 진화설

라마르크설

우리의 놀라움의 근저에는 언제나 이 질서의 한 부분만이 실현될 수 있다는 생각과 그 완벽한 실현은 일종의 은총이라는 생각이 있어.

무엇에 의해 생물이 진화했다니 정말 놀라워!

과연 진화는 우연히 그렇게 일어났을까?

또한 그것을 자연 선택에 의해 조금씩 얻는다고 주장해.

자연은 우월한 유전자를 선택하며 진화를 이끌었지.

선 택

도 태

하지만 베르그송은 이러한 유사성이 나타나는 이유가 종들이 동일한 근원을 가지기 때문이라고 해.

ELAN VITAL

그리고 그 근원을 하나의 폭발적 힘, 엘랑 비탈이라고 주장했어.

상이한 노선에서 유사한 기관들이 출현하는 것은 진화를 이끄는 약동이 근원적으로 동일하기 때문입니다.

길이 달라도 모든 길에는 우리가 있어.

눈처럼 경이로운 구조는 생명의 원초적인 약동 덕분에 이루어지는 것입니다.

눈의 진화는 원초적인 약동 자체에 내포되어 있습니다. 따라서 각각 서로 다른 생명체의 눈은 독립적인 진화 노선을 따랐고 사람에 의해 재발견되는 것입니다.

베르그송은 사람들이 왜, 그리고 어떻게 생명체의 진화가 생명의 운동에 내포되어 있는가에 대해 묻는다면,

진화가 왜 생명의 운동에 내포되어 있다는 거죠?

좋은 질문입니다.

다음과 같이 답할 수 있다고 했어.

생명은 무엇보다도 무기물질에 작용하려는 경향이 있기 때문입니다.

생명이 도약하는 방향은 미리 결정되어 있지 않아.

갈 곳은 정한거야?

아니, 목적 없는 여행이 진짜 여행이지.

진화

생명의 진화에 따른 예측 불가능한 형태들의 다양성이 바로 거기서 유래하지.

진화는 예측할 수 없는 여행과도 같아!

진화에는 어떤 목적도 없고 그것은 예측이 불가능한 과정이기 때문이야.

하긴 처음 갈 여행지를 미리 안다는 것은 불가능하겠지.

진화

이제 베르그송은 이러한 생각들을 좀 더 정확하게 설명하려고 해.

진화의 분기된 결과들을 그것들의 유사성 속에서가 아니라 상보성 안에서 고찰하려고 합니다.

상보성? 무슨 말인지 잘 이해가 되지 않나요?

그렇다면 다음 장을 보세요. 자세한 설명을 들을 수 있을 겁니다.

7장
생명 진화의 방향

자, 이제 본격적으로 베르그송의 생각을 들으러 가 보자고!

베르그송의 생각을 찾아 주신 여러분 환영합니다.

창조적 진화

진화론의 발전

진화론이라고 하면 대부분 찰스 다윈의 진화론을 가장 먼저 떠올립니다. 하지만 진화론이라는 개념은 다윈보다 훨씬 이전부터 있었습니다. 어떤 진화론들이 있었는지 알아봅시다.

아낙시만드로스와 엠페도클레스의 진화론

고대 그리스의 일부 자연 철학자들은 생물이 시간의 흐름에 따라 변화한다고 생각했습니다. 대표적인 철학자로 아낙시만드로스와 엠페도클레스를 들 수 있습니다. 아낙시만드로스는 생물은 물에서 시작되었으며 시간이 지남에 따라 식물과 육상 동물이 생겨났다고 주장했습니다.

엠페도클레스는 생물의 출현은 초자연적인 현상에 의한 것이 아니라고 주장했습니다. 또한 이 세상에 생물이 나고 죽는 일에 특별한 의미가 없으며 생물의 다양한 형태는 단순히 생물의 적응에 의한 결과라고 주장을 했답니다. 아낙시만드로스와 엠페도클레스의 진화론은 고대 그리스 철학의 주류를 이루었던 플라톤과 아리스토텔레스가 생물의 진화에 대해 그들과 다른 견해를 가지고 있었기 때문에 지속적인 발전을 하지 못했습니다.

아우구스티누스의 진화론

아우렐리우스 아우구스티누스는 초대 기독교의 위대한 철학자입니다. 그가 쓴 《고백록》은 신과 인간의 영혼에 대한 깊이 있는 내용을 다루어 지금도 수많은 사람들에게 읽혀지고 있습니다. 그래서 가톨릭교회에서는 그를 성인으로 높이 추앙합니다. 아우구스티누스는 성서의 창세기를 문자 그대로 받아들일 필요는 없으며 인간이 헤아릴 수 없는 시간 동안에 일어난 우주 창조에 대한 상징적 내용으로 받아들여야 한다고 생각했습니다. 아우구스티누스는 하느님이 창조한 동물들은 불완전한 형태에서 출발하여 시간에 따라 천천히 변화하였다고 생각하였습니다. 그러나 그의 생각은 나중에 가톨릭교회와 개신교에 의해 부정됩니다. 교회 지도자들은 모든 것이 성경에 기록된 그

아우구스티누스

대로 받아들여야 한다고생각 했습니다.

알 자히즈의 진화론

로마 제국이 멸망하고 기독교가 유럽 문명의 거대한 축이 된 이후 유럽에서는 고대 그리스의 자연 철학자들로부터 이어져 오던 진화론적 사고의 맥이 완전히 끊겼습니다. 대신 그들의 생각은 그들이 쓴 책을 통해 이슬람 세계로 전파되어 발전했습니다.

대표적인 것이 알 자히즈('al-jāhiz, 775년~868년)의 주장입니다. 알 자히즈는 과학에 관련된 여러 책을 썼는데 그의 대표작인 《동물학》에 쓴 글을 보면 그의 진화론은 약 천 년 뒤에 찰스 다윈이 말한 자연 선택설과 크게 차이점이 없을 정도로 뛰어났습니다.

동물은 생존을 위해 경쟁한다. 예를 들면 자원을 차지하고 먹잇감이 되는 것을 피하며 상처를 입지 않기 위한 활동 등이 있다. 이러한 경쟁에 의한 선택의 결과 동물의 형태는 생존에 보다 유리한 방향으로 변화하게 된다. 이러한 변화가 새로운 종을 만들고, 이 새로운 종의 자손들이 번성하게 되는 것이다.

장 바티스트 라마르크의 진화론

이슬람과는 달리 유럽에서는 약 2천 년 동안 기독교적 가치관에 따라 창조주가 직접 만든 생물은 종의 근본적인 특징이 변하지 않는다는 믿음을 유지했습니다. 16세기에 와서 과학 혁명이 일어나고 뒤이어 18세기에 계몽주의가 자리를 잡은 후에야 다시 진화론에 대해 생각하게 되었습니다.

대표적인 사람이 찰스 다윈의 할아버지 에라스무스 다윈(Erasmus Darwin)이었지만 그의 진화론은 체계적인 학설로 받아들여지지 않았습니다. 과학적인 진화론 연구는 19세기에 들어서야 시작되었습니다. 진화에 대한 과학적 이론을 제시한 사람은 장 바티스트 라마르크였습니다. 그는 동물 기관이 사용하면 사용할수록 발달하고 사용하지 않은 기관은 점차로 퇴화하여 획득된 형질이 자손으로 유전되어 점차 생물이 변화해 간다는 용불용설을 주장했습니다. 하지만 그의 진화론은 나중에 틀린 것으로 판명되었습니다.

7장 생명 진화의 방향

이 책을 읽으면서 주의해야 할 점이 있어.

그건 베르그송이 생물학을 전공한 자연과학자가 아니라는 점이야.

그래서… 설마 날 무시하겠단 소린가?

그게….

물론 베르그송은 천재적인 학자로 생물학에 대해서도 상당히 깊은 지식을 가지고 있어.

그렇지. 전공을 안 했다고 무시하면 안 되지.

그, 그렇죠.

하지만 그의 생물학에 대한 모든 지식이 모두 옳다고 말하기는 어려워.

뭐지? 사람을 들었다 놨다 뭐 하자는 거지?

진정하시고 내 말 좀 끝까지 들어 보세요.

생물학은 베르그송이 세상을 떠난 후에도 계속 빠른 속도로 발전하고 있기 때문이야.

하긴 내가 살았던 세상과는 많이 달라졌지.

그렇죠. 하루가 다르게 세상은 변해 가죠.

따라서 지금 현대 생물학의 수준에서
베르그송의 생각을 판단하면 곤란하겠지?

그렇지. 난
철학자니깐.

맞아. 베르그송은 철학자야.

그러니 《창조적 진화》는 생물학이
아닌 철학의 눈으로 읽어야 합니다.

우리는 생명체의 진화가 '어떻게' 일어났는가보다는

'어떻게'는 주로
과학자들이 연구하는
내용이지요.

과학자

'왜' 일어났는지에 대해 초점을 두고 이 책을 볼 필요가 있어.

철학자들은
좀 더 본질적인 '왜'를
주로 연구합니다.

궁금해.
아주 궁금해.

왜

철학

내가 그렇게
궁금해?

이와 같은 생각을 바탕에 깔고
본격적으로 7장 공부를 해 보자.

생물학자들은 보통 생명체가 탄생하고
진화하는 과정을 물질주의적인
관점에서 생각해.

생물학자

대표적인 생물학자로 러시아의 오파린
(Oparin, 1894~1980)을 들 수 있어.

오파린은 원시 생명체의 기원을
코아세르베이트라고 주장했어.

생명체의
시작은
단순한 단백질
덩어리였죠.

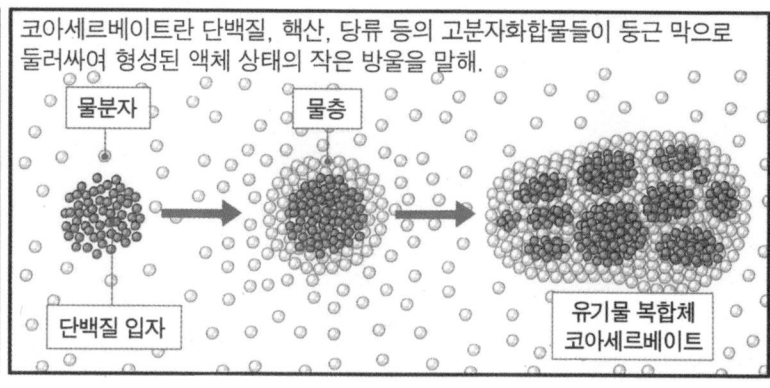

코아세르베이트란 단백질, 핵산, 당류 등의 고분자화합물들이 둥근 막으로
둘러싸여 형성된 액체 상태의 작은 방울을 말해.

물분자

물층

단백질 입자

유기물 복합체
코아세르베이트

코아세르베이트는 주변 환경에서 물질을 선택적으로
받아들여 계속 자랄 수 있어.

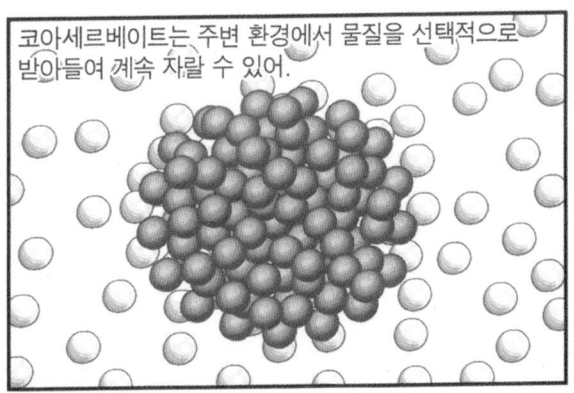

또한 어느 정도 크기에 이르면 둘로 갈라져서 그 수가
증가하기도 해.

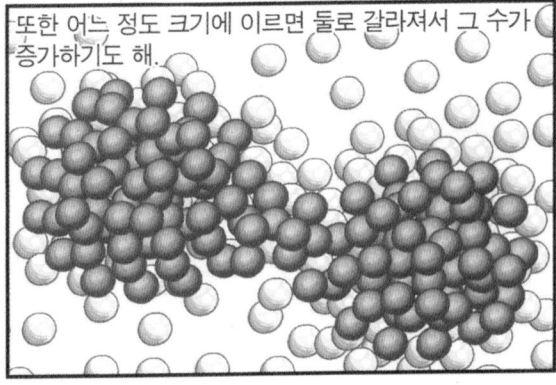

마치 살아 있는 세포의 원형질과 닮았어.

원형질은 세포를 이루는
가장 중요한 물질인 핵과 세포질
등을 가리키는 말이야.

DNA
핵
세포질

그래서 오파린은 코아세르베이트가 점진적인 변화를 거쳐 원시
생명체로 발전하게 되었다고 주장한 거야.

그런데 베르그송의 생각은 달랐어.

난 당신의 주장에
동의할 수 없습니다.

베르그송은 생명체의 탄생과 진화를 그렇게 물질주의적인
과정으로만 보는 것은 잘못되었다고 주장했어.

생명은 그저 그렇게
단순한 물질이 아니죠.

그럼 당신의
생각은 뭐죠?

그는 생명체의 탄생과 진화를 생명적 도약(엘랑 비탈)과 물질이 대립한
결과라고 말했어.

생명은 우주 속에서
물질적 운동과 대립하는
운동으로 존재합니다.

엘랑 비탈?

무슨 말인가 어렵지? 지금부터 불꽃놀이를
예로 들어서 설명할 테니 잘 들어.

봄이나 가을이 되면 서울이나 부산과 같은 대도시에서는 화려한 불꽃축제가 열리지.

폭죽이 하늘로 솟아오르면 잠시 후에 까만 하늘에 화려한 불꽃이 연출되고, 사람들은 그 아름다움에 환호성을 질러.

폭죽의 모양은 기본적으로 이렇게 생겼어.

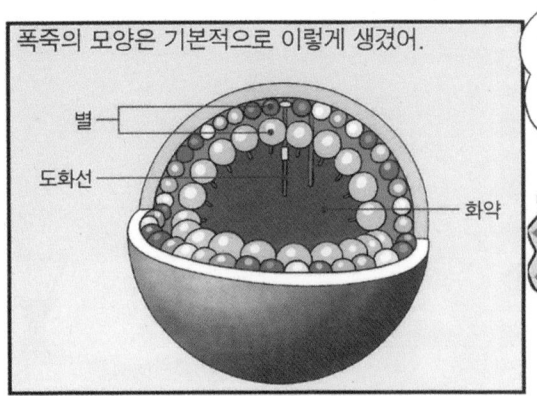

- 별
- 도화선
- 화약

이 폭죽은 그림과 같이 발사포에 넣고 점화를 시키면 추진약이 터지면서 하늘 높이 올라가는 거야.

- 도화선
- 발사포
- 폭죽
- 추진약

폭죽이 터지면서 화려한 꽃 모양을 이루는 것은 다음 그림처럼 폭죽의 내부 설계와 화약에 어떤 물질을 섞었는가와 관련이 있어.

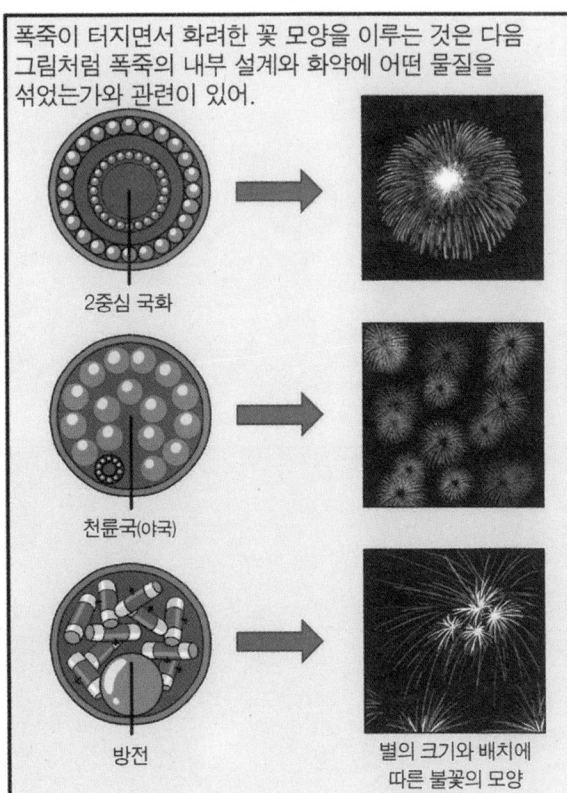

- 2중심 국화
- 천륜국(야국)
- 방전
- 별의 크기와 배치에 따른 불꽃의 모양

예를 들어 질산바륨을 넣으면 초록색 불꽃을,

질산스트론튬을 넣으면 붉은색 불꽃을, 염소산나트륨을 넣으면 노란색 불꽃을 볼 수 있지.

베르그송은 원래 《창조적 진화》에서 생명의 진화를 포탄이 터졌을 때 일어나는 과정으로 설명했는데,

생명의 진화는 폭탄이 터지는 것과 닮았어.

이 책에서는 불꽃놀이로 바꾸어서 설명할게.

폭죽이나 포탄이나 원리는 같은데, 불꽃놀이가 우리에게 더 친근하잖아?

오~ 예쁜데!

베르그송은 생명의 진화를 폭죽(포탄)이 터질 때 산산이 흩어지는 폭죽의 껍질에 비유했어.

베르그송이 왜 폭죽이 터지는 과정에 생명의 진화를 비유했는지 생각해 보자.

예쁘긴 한데 나의 진화와 뭐가 닮은 거지?

발사포에 의해 하늘로 높이 올라간 폭죽은 점화선에 의해 내부에 있는 화약이 폭발해.

그러면 폭죽을 싸고 있던 껍질이 수많은 조각으로 나누어져 공중에서 흩어져.

그런데 여기에서 그치지 않고 2차로 폭죽 안에 있던 작은 폭죽(이를 전문 용어로 별이라고 해)이 공중에서 여러 방향으로 흩어진 후 폭발을 하는 거야.

한 번 팡 터지고, 그 다음에 다시 팡팡팡거리며 작은 폭죽들이 터지는 거 말이야.

베르그송은 생명의 진화는 폭죽과 그 속의 수십 개의 작은 폭죽들이 차례로 터지면서 예측할 수 없는 방향으로 흩어지는 것과 같이 일어난다고 주장했어.

수많은 폭죽 껍질 파편들은 진화의 결과로 생긴 생명체의 종이라고 했지.

베르그송이 이렇게 불꽃놀이를 생명체의 진화에 비유해서 설명한 것은,

불꽃놀이가 나와 닮은 점이 많네.

생명체의 진화가 그만큼 역동적이고, 복잡하고, 예측 불가능하게 일어나기 때문이야.

윽!

예측

뻥

이런 건 내겐 통하지 않아.

베르그송은 폭죽 안에 있는 화약을 생명적인 도약(엘랑 비탈)이라고 했어.

이 부분.

그리고 화약이 터지는 것을 막는 역할을 하는 폭죽의 껍질을 물질이라고 했어.

물질

난 이 부분.

화약의 폭발하는 힘과 껍질의 단단함은 서로 대립하고 있어.

베르그송은 생명적 힘의 분출과 물질적 필연성의 대립을 화약의 폭발력과 저항하는 껍질에 비유한 거야.

그만 포기하지?

무슨 소리. 이 정도 쯤은…

만약에 껍질이 너무 단단하면 화약의 폭발하는 힘이 껍질을 파괴하여 여러 조각으로 나누지 못해.

폭발하더라도 파편이 멀리 날아갈 수 없어.

반면에 화약의 폭발하는 힘이 아주 강하면 껍질이 아무리 단단하더라도 수십 개의 조각으로 멀리 흩어지지.

불꽃놀이는 생명과 물질이 상호 모순적인 관계로 인해 폭발하고,

그 과정에서 겪는 질적 변화를 상징해.

파워업!

생명체의 진화는 이처럼 폭발과 변화가 계속되면서 생명체의 여러 종들이 분산되는 과정이야.

생명체의 진화에는 두 가지 원인이 있어.

하나는 생명체가 물질로부터 느끼는 저항이고,

포기하시지.

싫어!

다른 하나는 생명체가 자기 안에 보유하고 있는 폭발적인 생명적 도약의 힘이야.

생명이 세상에서 처음 극복해야 했던 것은 물질의 저항이었어.

어, 어…. 이거 안 놔?

난 절대 포기하지 않아.

생명은 특유의 부드러운 자세로 물질의 저항에 지혜롭게 대처했지.

안녕? 우리 친하게 지내.

예쁘다!

쉽게 이해하기 위해 재미있는 예를 들어볼까?

낯선 남성과 여성이 소개팅하고 있는 장면을 상상해 보자.

남성은 첫 만남에서 자신의 남자다움을 내세워야 여성을 리드하며 데이트할 수 있으리라는 생각을 해.

하지만 남성보다 수준이 한 단계 위인 여성은 그런 남성의 속셈을 간파하고, 부드럽고 달콤한 목소리로 다가가.

시간이 지날수록 남성은 여성에게 마음이 빼앗기고 데이트의 주도권을 여성에게 넘겨주고 말아.

여기서 여성은 생명을, 남성은 물질이라고 생각하면 될 거야.

생명은 여성처럼 아주 작고, 아주 호의적인 자세로 물질의 물리화학적 힘을 속이고 물질 속으로 들어갔어.

생명이 생명체로서 존재하기 위해서는 형체를 갖추어야 하는데 그러려면 물질이라는 껍질이 필요했기 때문이야.

가장 원시적인 생명체를 보면 그것이 생명을 띤 생명체인지 아니면 물리화학적인 성격을 띤 물질인지 판단하기 어려워.

아메바를 보면 잘 알 수 있지요.

거의 분화되지 않은 작은 원형질 덩어리는 생명체로 보기에 너무나 단순하기 때문이야.

뭐야! 이렇게 단순한 게 나라고?

그러나 그 내부에는 놀라운 생명의 추진력을 갖고 있었어.

단순하다고 우습게 볼 게 아니군.

내 안에 힘이 느껴져!

떨럭

다 다 다 다 단

그 추진력으로 최초의 유기체(아주 초보적인 단계의 원시 생명체)들은 크게 성장하려고 애를 썼을 거야.

그래 바로 이거지! 좀 더 진화된 모습으로….

그러나 유기체들은 곧 성장의 한계에 도달했어.

윽! 뭐지? 이 딱딱한 껍질은?

쿵

유기체의 껍질, 즉 물질들이 저항을 했기 때문이야.

난 네놈의 진화를 그냥 둘 수 없다.

물질

잉! 또 너냐?

이때 유기체들이 택한 길은 분열이었어.

세포들이 어느 정도 크면 성장을 멈추고 세포 분열을 하지요.

하지만 분열만으로는 진화를 하기에는 어려움이 많아.

그런다고 이 벽을 뚫을 수 있을 것 같아?

딱 딱

물질

원시 생명체들도 이 사실을 알고 극복하기 위해 매우 긴 시간 끊임없는 노력했을 거야.

나도 쉬울 거라 생각하진 않았어. 하지만 노력한다면…. 윽!

띵

푸히히히~ 그래 노력만큼은 높게 평가해 주마.

지

이 과정에 기적이 있었을 수도 있어.

벽에 금이 가고 있어!

아니, 이게 어떻게 된 일이지?

생명체들이 얻은 것은 작업 분담이라는 새로운 끈이었지.

각자 같은 일을 충실히 하니 좋은 결과가 생기는군.

이럴 수가….

맞아!

이를 통해 생명체를 이루는 요소들을 하나로 묶을 수가 있어.

우리는 하는 일은 달라도 서로 협조하여 신화를 도모한다.

OK.

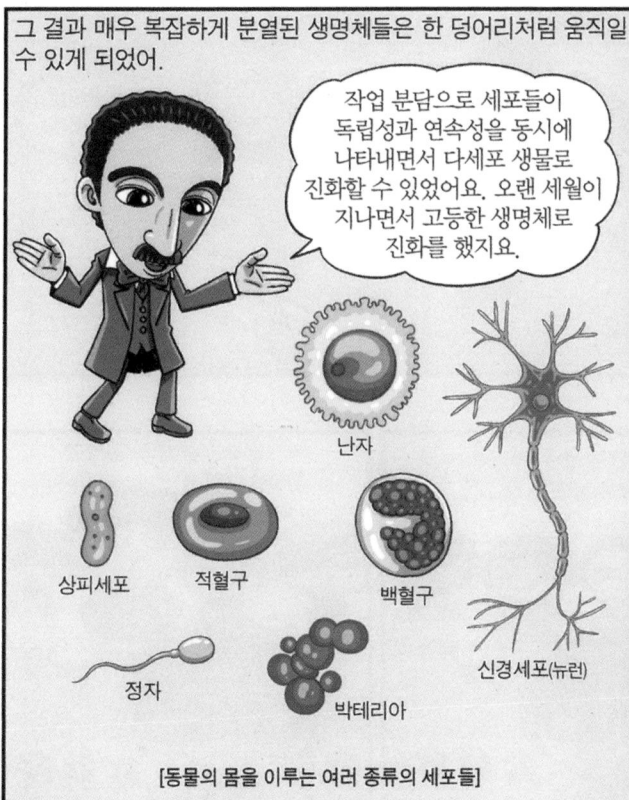

그 결과 매우 복잡하게 분열된 생명체들은 한 덩어리처럼 움직일 수 있게 되었어.

작업 분담으로 세포들이 독립성과 연속성을 동시에 나타내면서 다세포 생물로 진화할 수 있었어요. 오랜 세월이 지나면서 고등한 생명체로 진화를 했지요.

난자

상피세포

적혈구

백혈구

정자

박테리아

신경세포(뉴런)

[동물의 몸을 이루는 여러 종류의 세포들]

그리고 이러한 진화, 즉 질적 변화는 예측 불가능한 방식으로 이루어졌어요.

진화

저는 이것을 《창조적 진화》라고 부릅니다.

창조

진화

베르그송은 원시 생명체가 분열이라는 방법을 택한 것은 생명이 가지고 있는 심층적 원인이라고 했어.

심층적 원인은 '경향'입니다.

심층적 원인

'경향'은 원래 생명이 내부적으로 가지고 있던 것으로 다발의 형태로 발달합니다.

다발은 그림의 광섬유처럼 여러 가닥이 묶음으로 된 걸 말해.

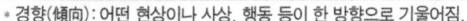

* 경향(傾向): 어떤 현상이나 사상, 행동 등이 한 방향으로 기울어짐.

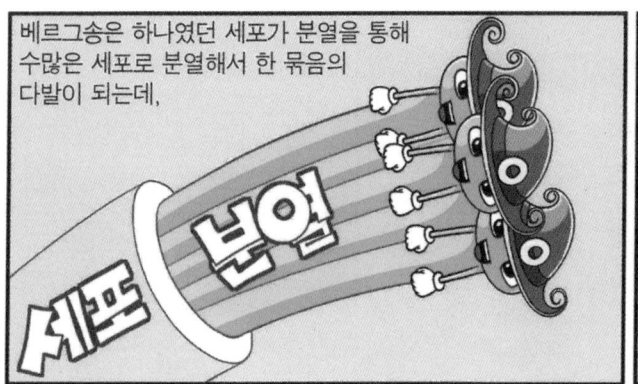

베르그송은 하나였던 세포가 분열을 통해 수많은 세포로 분열해서 한 묶음의 다발이 되는데,

이 다발은 생명적 약동을 공유하면서 여러 방향으로 분기한다고 했어.

여기서 분기란 진화의 노선들이 하나의 뿌리에서 갈라지는 현상을 말해.

그리고 생명체는 각각 다른 방향으로 분기하면서 일부는 그 경향을 선택하고 일부는 그 경향을 버려.

저건 버리고, 이건 취하고.

예를 들어볼까? 어떤 소설가가 있다고 하자.

소설가는 소설을 쓰면서 많은 캐릭터(경향)를 창조해.

하지만 소설을 쓰는 과정에 그 캐릭터 중에서 일부는 강조하고,

일부는 버려야 하지.

자연스럽고 재미있게 하기 위해서야.

캐릭터가 작품에 잘 녹아 있군요.

아 그런가요?

물론 이번 작품에서 버린 그 캐릭터는 나중에 다른 소설에서 다시 쓸 수도 있어.

생명체의 진화도 비슷해.

생명체의 진화에는 여러 분기점들이 있어.

두세 가지의 커다란 길 옆에는 막다른 골목들도 많았을 거야.

커다란 길이란 절지동물에 속하는 개미와

포유류에 속하는 인간을 들 수 있을 거야.

개미와 인간에게는 장점과 단점이 있어.

그건 개미 사회와 인간 사회를 비교해 보면 잘 알 수 있어.

개미 사회는 놀라운 규율과 통일성을 가지고 있지만 고착되어 있습니다.

반면에 인간 사회는 모든 진보에 대해 열려 있습니다. 하지만 분열되어 있지요. 또한 자기 자신과의 끊임없는 투쟁을 합니다.

가장 이상적인 것은 개미 사회처럼 놀라운 규율과 통일성을 가지면서 인간 사회처럼 모든 진보에 열려 있는 사회일 거야.

개미사회 + 인간사회

하지만 이런 이상적인 사회는 실현되기가 거의 불가능해.

개미 사회와 인간 사회가 진화의 넓은 도로를 가고 있다고는 하지만 이것은 표현 방식에 지나지 않아.

생명의 일반적 운동일 뿐이야.

생명체는 분기하는 진화의 선들 위에서 언제나 새로운 형태를 창조하기 때문이지.

그러므로 생명체의 진화를 연구할 때에는 일정한 개수의 분기 방향을 파악하고,

각각 분기된 방향에서 일어난 일을 연구하여 그 경향들의 본성을 알아야 해.

이 경향들을 상호 조합하면 약동이 유래한 운동의 원리에 접근할 수 있기 때문이야.

물론 베르그송도 진화의 필요조건이 환경에 대한 적응이라는 사실은 인정해.

생명체의 어떤 종이 자신에게 주어진 생존 조건에 적응하지 못할 때 이 지구상에서 사라진다는 것은 너무나 명백한 일입니다.

그러나 저는 기계론자들이 말하는 것처럼 생명체를 둘러싼 자연 환경이 진화의 직접적인 원인이라는 주장에는 동의하지 않습니다.

그것은 기계론자들이 원초적 생명의 약동을 인정하지 않기 때문입니다.

즉 생명체가 내부에 가지고 있는 그 엄청난 추진력에 의해 다양한 생명체로 진화한다는 생각을 전혀 하지 않기 때문입니다.

또한 목적론자들은 생명이 하나의 정해진 계획을 실현한다고 합니다.

생명체의 진화는 오로지 더 높은 조화, 즉 고등한 생명체로 향해야 한다는 주장이지만 저는 이것에도 동의하지 않습니다.

하긴 나도 그렇게 생각하지 않아.

베르그송은 기계론자들과 목적론자들의 진화론을 반박하면서 생명체의 진화는 예측 불가능한 것임을 강조했어.

맞아. 날 예측할 수 없어.

뻥

윽, 또

예측

고생물의 화석들을 보면 어떤 생명체는 더 이상 진화를 하지 않았거든.

어떤 유공충류는 실루리아기* 이래로 변화를 한 것이 거의 없어.

이건 그 생명체가 진화를 하지 않는 경향을 선택했기 때문이야.

진화가 꼭 전진일 필요는 없지.

맞아. 난 지금의 모습에서 최선을 다하겠어.

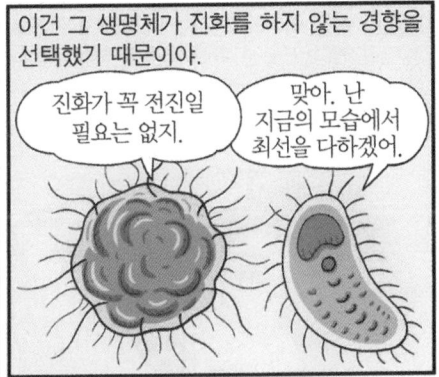

* 실루리아기 : 지금부터 약 4억 4600만 년 전부터 약 4억 1600만 년 전까지로 고생대의 캄브리아기·오르도비스기에 이어지는 세 번째 시대.

진화는 하나의 길을 그리지 않습니다.

진화

여러 방향으로 진화하며 하나의 목표를 겨냥하지 않습니다.

그리고 진화의 궤적은 매우 창의적입니다.

절지동물

연체동물

멸치동물

베르그송은 생명적 약동은 생명체들이 서로 소통하는 가운데 점점 더 나누어진다고 했어.

생명체의 각 종은 생명의 추진력을 받아들여 다른 것들에게 전달합니다. 그러한 전파는 생명이 진화하는 모든 방향에서 일어납니다.

실제로 진화를 멈추는 종들도 있어.

시아노박테리아 - 수십억 년 동안 비슷한 형체를 하고 있다.

또 어떤 생명체는 지나온 길을 되돌아가기도 해.

고래가 그랬을 거라 추정하고 있어.

난 육지에 살다 다시 바다로 되돌아왔지.

진화는 단지 전진 운동만 하는 것은 아니야.

핵

저 길이 아닌가 봐.

진보는 점점 더 복잡해지는 고차원적 형태들을 그리는 두세 가지의 커다란 노선 위에서만 이루어진다고 할 수 있어.

앞에서 말한 개미 사회나 인간 사회처럼 말이야.

개미사회

인간사회

그리고 이 노선들에는 수많은 샛길들이 뒤따르지.

거기에서는 이탈하거나 정지하거나 후퇴를 하기도 해.

정지

후퇴

이탈

전진

생명의 진화에서 미래의 문은 크게 열려 있어.

♪♫

그것은 생명적 약동에 의해 일어난 최초의 운동 덕분에 끝없이 계속되는 창조야.

날 믿고 따라와!

이 운동은 생명체에 무한하게 풍요로운 통일성을 만들어 줘.

이는 어떤 지성이 꿈꿀 수 있는 것보다도 우월해.

따라잡을 수 없어.

지성도 결국 생명적 약동이 생산한 것 중 하나이기 때문이지.

당연하지. 넌 나 때문에 생긴 산물이니깐.

그런데 생명체의 진화에 대하여 생물학자들이 제시하는 해결책들은 너무 세부적이야.

진화의 비밀을 풀 자료들이야.

뭐가 이렇게 많아!

정작 중요한 것은 보여 주지 못하고 있어.

우리가 알고 싶은 것은 생명체 진화의 원칙적인 방향인데 말이야.

이래서 날 찾을 수 있겠어?

우리는 이 책에서 생명체 진화의 모든 방향들을 다루지는 않아.

그럼….

우리가 특별히 다루어야 하는 부분은 인간에 이르는 길이야.

바로 이 부분.

아하.

그 방향을 따라가면서 인간과 동물계 전체의 관계와

기분 나쁘게 비슷하네

나도 마찬가지야.

생명체 전체 속에서 동물계가 차지하는 위치를 알아보려고 해.

그래봐야 너나 나나 자연의 일부일 뿐이야.

하긴.

먼저 식물과 동물 진화의 차이점을 알아보자.

그럼 다음 장으로 고고싱!

개미 사회의 특징

개미는 〈종 – 속 – 과 – 목 – 강 – 문 – 계〉의 생물 분류로 따지면 〈동물 계 – 절지동물 문 – 곤충 강 – 벌 목 – 개미 과〉에 속하는 동물입니다. 개미는 약 1억 1천만 년~1억 3천만여 년 전, 그러니까 티라노사우르스와 같은 육식 공룡이 지구를 지배할 무렵 말벌과 같은 조상에서 진화한 곤충입니다. 현재 지구에는 12,000 ~ 14,000 종의 개미가 살고 있다고 합니다. 개미는 인간과 더불어 가장 뛰어난 사회 조직을 가진 동물로 알려졌는데 개미 사회의 특징이 어떤지 살펴봅시다.

개미의 생물학적 특징

개미의 수명은 하는 일과 계급에 따라 다릅니다. 여왕개미가 가장 오래 사는데 5~10년, 수개미는 약 6개월, 일개미와 병정개미는 약 1년 정도입니다. 또한 크기도 같은 종이라도 여왕개미, 수개미, 병정개미 등에 따라 다릅니다.

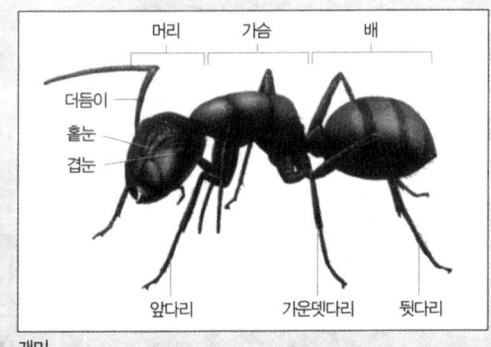

개미

개미는 머리·가슴·배의 3부분으로 되어 있고, 머리는 상대적으로 큰데 하는 일에 따라 모양이 다릅니다. 특별히 큰 턱이 잘 발달하여 사냥과 먹이를 먹는 일에 유리하게 되어 있습니다.

개미 사회의 역할 분담

개미 사회는 여왕개미, 수개미, 일개미 등으로 이루어져 있고 이들이 하는 일은 엄격하게 구별되어 있습니다. 여왕개미는 암컷이며 무리 중에서 가장 크고 생식기관이 유난히 발달되어 있습니다. 날개는 혼인비행 후에 떨어져 나가고 오직 알을 낳는 일에 몰두합니다. 수개미는 여왕개미보다 크기가 작고 날개가 있습니다. 불행하게도 수개미는 혼인비행을 한 후에는 죽거나 무리에서 쫓겨납니다. 일개미는 여왕개미처럼 암컷이지만 날개가 없으며 생식기관이 발달되어 있지 않습니다. 하지만 그물개미처럼 일개미가 알을 낳는 종도 있습니다.

일개미는 소형·중형·대형 등으로 몸의 크기가 다르고 하는 일도 좀 다릅니다. 특히 일개미 중 병정개미는 몸집이 크고 머리와 큰 턱이 발달되어 외적을 방어하거나 딱딱한 먹이를 잘게 부수는 역할을 합니다.

혼인 비행과 새로운 사회 구축

개미 사회는 규모가 커지면 새로운 여왕개미를 생산하여 이를 중심으로 새로운 사회를 건설합니다. 봄부터 초여름에 개미 둥지를 살펴보면 대형 애벌레가 보입니다. 이들은 자라서 여왕개미와 수개미가 되지요.

여왕개미와 수개미는 혼인비행을 하는 동안 교미를 합니다. 혼인비행은 주로 바람이 없고 습도가 높은 날에 나와서 합니다. 혼인비행을 끝내면 여왕개미와 교미를 한 수개미는 힘이 빠져 죽고 교미를 하지 못한 수개미는 집에서 쫓겨나 굶어 죽습니다. 교미를 끝낸 여왕개미의 수정낭에는 정자가 가득 차 있습니다. 여왕개미는 이 정자를 이용하여 오랜 시간 많은 수의 알을 낳습니다.

개미 사회는 여러 가지 방법으로 의사소통을 하고 체계적인 분업 체제를 갖추었다고 알려져 오래 전부터 많은 곤충학자들의 연구 대상이 되었습니다. 그래서 어떤 곤충학자는 이 지구가 멸망할 때 최후까지 남을 사회는 개미 사회라고 했습니다.

한편 흰개미는 이름만 개미이지 실제로는 개미가 아닙니다. 오히려 바퀴벌레나 사마귀와 더 관련이 깊다고 합니다. 그래서 별도로 흰개미목으로 나누어 분류합니다.

생물계의 중요한 두 분기점
- 식물계와 동물계

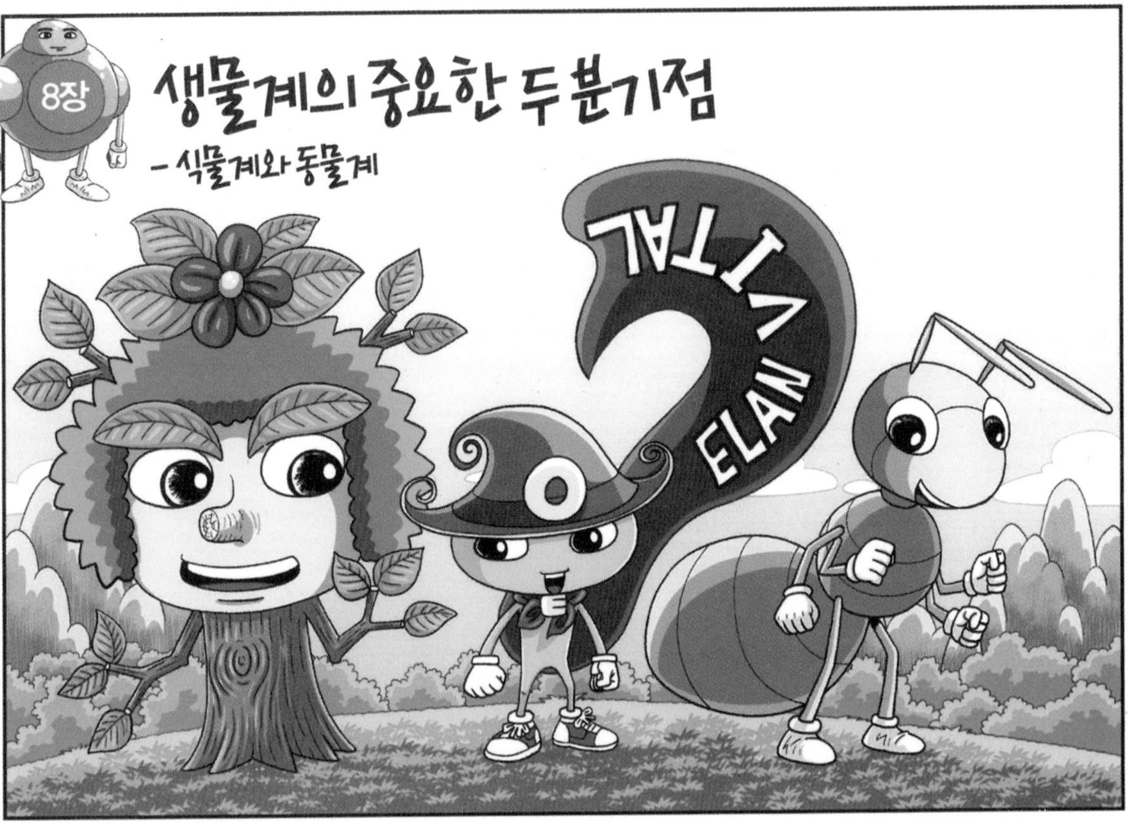

8장

베르그송은 생물 진화의 중요한 분기점으로 식물계와 동물계를 들었어.

생물계에는 식물계와 동물계 외에도 균계, 원생생물계 등이 더 있는데 왜 식물계와 동물계를 중요한 분기점이라고 했을까?

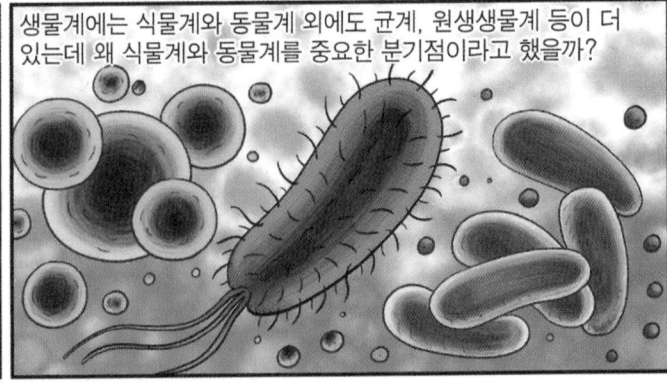

그건 균계나 원생생물계를 이루는 생명체들이 대부분 과거의 상태에 머물러 있다고 생각했기 때문이야.

각각 생물군의 특징을 살펴보면 베르그송이 그렇게 생각한 까닭을 알 수 있어.

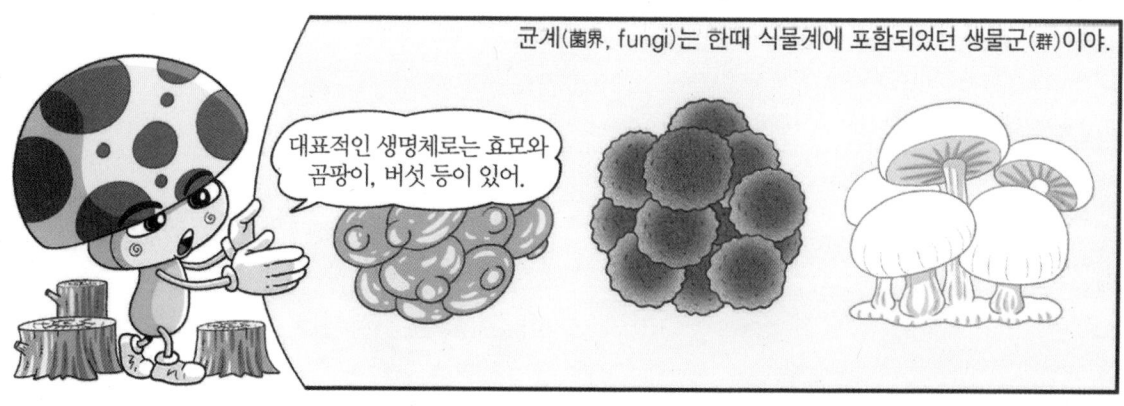

균계(菌界, fungi)는 한때 식물계에 포함되었던 생물군(群)이야.

대표적인 생명체로는 효모와 곰팡이, 버섯 등이 있어.

이들의 세포는 세포벽이 식물과 달리 대부분 키틴*으로 이루어져 있고,

키틴은 우리가 많이 갖고 있지.

이상하네? 난 분명 곤충은 아닌데…

엽록소가 없어서 광합성을 못해.

식물은 땅과 태양에서 에너지를 얻지만 우린 불가능해.

그래서 다른 생명체에 기생하거나 유기물질에 붙어서 영양을 섭취하며 살아가지.

네 에너지 좀 나눠 줘~.

쿵~

* 키틴(chitin) : 곤충이나 미생물의 세포벽에 많이 들어 있는 단백질과 복합체를 이루는 물질.

그리고 원생생물계(原生生物, protista)는 보통 1개의 핵을 가진 단세포 생물로서 아주 원시적인 상태에 있는 생물군이야. 이들 중에는 원시 식물의 특성을 가지고 있기도 해서 정확하게 구분하기 어려울 때도 있어.

대표적인 것으로는 짚신벌레나 유공충 등을 들 수 있어.

최근에 와서는 생물학자들이 여기에 원핵 생물계라는 생물계를 하나 더 넣었어.

이것도 추가!

원생생물계

원핵생물계(原核生物, prokaryote)는 원핵이라고 불리는 아주 원시적인 세포핵을 가진 생물군이야.

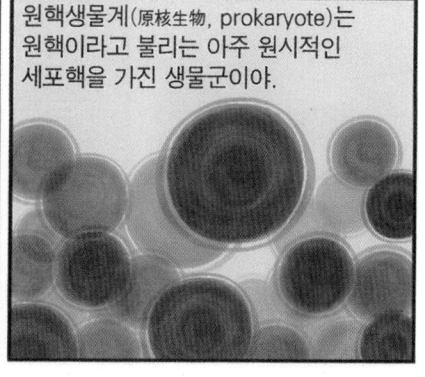

대부분은 단세포이고, 핵산(DNA)이 막으로 둘러싸여 있지 않고 분자 상태로 세포질 내에 있어.

우리 남조류가 여기에 속해.

남조류는 시아노박테리아라고도 하는데 지구에서 탄생한 최초의 생명체라고 할 수 있지.

최초의 생명체 시아노박테리아

이들은 광합성을 하면서 사는 생명체야.

그래서 지구에 산소를 공급하는 중요한 일을 하기도 했어.

어디서나 잘 자라.

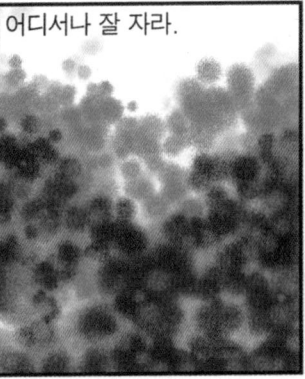

유기물질이 강물에 흘러들어가 오염되면 강물이 초록색으로 변하는데 이것도 남조류 때문이야.

균류, 원생생물 등과는 달리 식물과 동물은 오랜 세월 생명의 도약에 도약을 거듭했어. 다양한 방식으로 현재의 형태로 진화해 왔어.

난 그냥 여기 있을게.

그래, 그럼 우린 먼저 간다.

때문에 베르그송은 식물과 동물을 생명계의 가장 중요한 분기점이라고 하는 거야.

분기점

그런데 잠깐! 주의할 점이 있어.

진화가 발전 또는 진보만을 의미하지 않는다는 사실이야.

아니라고?

발전
진화
진보

생물이 진화했다는 것은 생물이 이전보다 나아졌다는 뜻이 아니야.

그럼?

진화

진화란 생물이 지금까지 자손을 남겼고, 과거의 조상과는 달라진 점이 있다는 것을 의미해.

내 자손들이야.

오랜 세월 생명체의 생명 활동에 필요한 기능이 추가되거나 삭제되었다는 것을 말하는 거야.

필요 없는 건 버리고

필요한 건 취하고

과거 추가 미래

삭제 현재

진화는 복잡해지는 과정도 있으나

어때? 나 예쁘지?

진화

간단해지는 과정도 있어.

진화

이런!

생명체의 진화를 진보와 혼동하는 것은 오해지.

비슷해 보이지만 우린 같지 않아.

진화 진보

윽!

베르그송이 원생생물이나 균류가 과거의 상태에 머물러 있다고 하고,

내 얘기하는 거야?

진화를 하지 않았다고 말하는 것은 진화에 대한 오해라고 생각해.

그, 그런가…?

다시 식물과 동물 이야기로 돌아가자.

식물계 동물계

베르그송은 식물계와 동물계를 나누는 명확한 기준은 없다고 했어.

이 둘을 정확하게 나누려고 했던 생물학자들의 시도는 늘 실패로 돌아갔습니다.

아하!

식물적 삶의 특성 중 단 하나도 동물에서 어느 정도 발견되지 않은 것은 없으며,

동물의 특성 중 단 하나도 식물계의 어떤 종들이나 어느 시기에 관찰할 수 없는 것은 없기 때문입니다.

베르그송의 말에 일리가 있어.

모든 생명체들은 초보적이고 본질적인 단계에서는 공통적인 특성을 가지고 있기 때문이야.

예를 들면 식물이나 동물 모두 정자(식물은 정핵이라고 함)와 난자(식물은 난세포라고 함)가 만나는 수정이라는 방법으로 후손을 생산하고 있지.

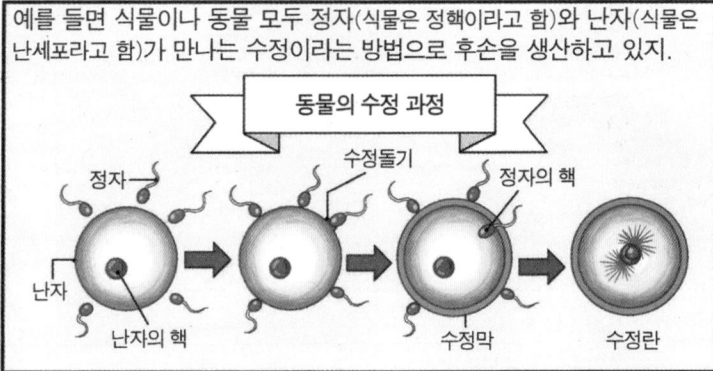

동물의 수정 과정

정자 / 수정돌기 / 정자의 핵

난자 / 난자의 핵 / 수정막 / 수정란

식물에도 생식 기관이 있는 것 다 알지?

식물의 생식 기관은 바로 꽃이야. 꽃에서 수정이 일어나고 꽃이 지면 씨앗이 생기잖아?

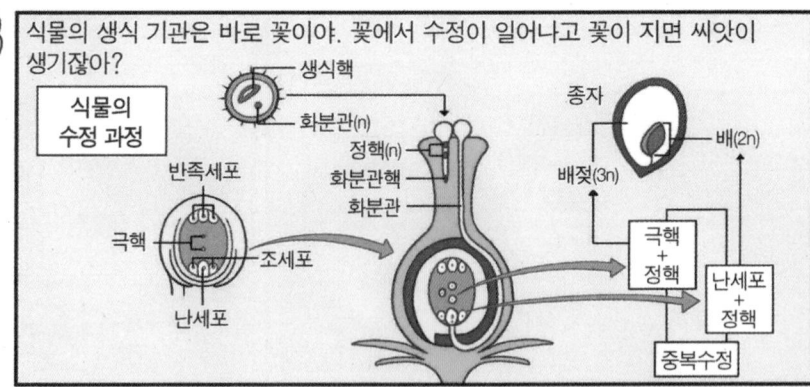

식물의 수정 과정

생식핵 / 화분관(n) / 정핵(n) / 화분관핵 / 화분관

반족세포 / 극핵 / 조세포 / 난세포

종자 / 배(2n) / 배젖(3n)

극핵 + 정핵 / 난세포 + 정핵 / 중복수정

식물과 동물의 차이는 비율에 있어.

비율?

식물은 식물적인 특성의 비율이 높아.

식물 / 동물

이 말은 식물에게도 동물적인 특성이 일부 들어 있다는 뜻이야.

내 안에 동물성이?

반면에 동물은 동물적인 특성의 비율이 높아.

이 말은 동물에게도 식물적인 특성이 일부 들어 있다는 뜻이야.

내 안에 식물성이?

그러므로 식물과 동물을 그들의 특성으로 구별하면 안 돼.

그럼 뭐로…?

식물적인 특성과 동물적인 특성을 강화하는 경향으로 구별해야 하는 거야.

이런 관점에서 보면 식물과 동물들은 좀 더 정확한 방법으로 정의하고 구별할 수 있어.

식물과 동물의 중요한 분기점은 영양물질을 섭취하는 방법이야.

동물은 식물이나 다른 동물들을 먹어야 해.

너희들을 먹여 살리는 것은 결국 우리 식물이라고 할 수 있지. 그러니 늘 고마운 맘을 가져!

식물은 공기와 물, 그리고 흙에 있는 생명을 유지하는 데 필요한 요소들, 즉 탄소와 질소를 이용해서 영양물질을 스스로 만들어.

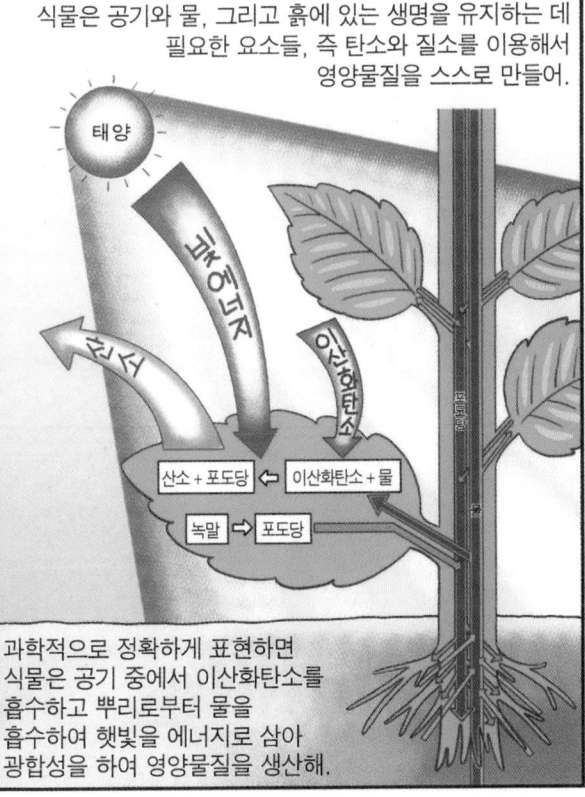

과학적으로 정확하게 표현하면 식물은 공기 중에서 이산화탄소를 흡수하고 뿌리로부터 물을 흡수하여 햇빛을 에너지로 삼아 광합성을 하여 영양물질을 생산해.

식물계에서 중요한 자리를 차지하는 균류*는 동물처럼 영양을 섭취해.

우린 식물계에서 독립하여 새로운 생물계가 되었어.

식물계

균류는 다른 생명체나 유기물질로부터 영양물질을 흡수해.

간혹 오래된 귤에서 푸른 곰팡이가 핀 것을 본 적이 있을 거야. 바로 그런 경우지!

*균류는 식물계에서 독립하여 새로운 생물계가 되었다. 베르그송 당시에는 생물학이 발달하지 않아 균류를 식물계에 포함시키기도 했다.

자연 속에 풍부하게 퍼져 있는 균류가 더 이상 진화를 하지 않았다는 것은 주목할 만한 사실이야.

균류는 조직 이상으로 향상되지 않았거든.

한마디로 식물계의 조산아라고 할 수 있어.

조산아라고? 듣기 좀 그렇네.

균류는 막다른 골목에 있다고 볼 수 있어.

이런 막혔네.

광합성을 거부함으로써

여기…

광합성

필요 없어.

식물 진화의 커다란 길 위에서 멈추어 버렸다고 볼 수 있을 거야.

광합성을 할 걸 그랬나…

동물은 어디에나 있는 탄소와 질소를 스스로 고정(몸에 필요한 영양물질로 만드는 것)시킬 수 없어.

따라서 영양물질을 섭취하기 위해서는 탄소와 질소를 광합성으로 고정한 식물을 먹거나,

아삭 아삭

창조적 진화

그 식물을 먹은 다른 동물을 찾으러 가야 해.

그래서 동물은 필연적으로 움직일 수밖에 없어.

싫어. 먹히기 싫어.

물방울 속에 흩어져 있는 유기물질을 포획하기 위해 자신의 위족들을 아무렇게나 내미는 아메바에서부터

쑤 욱

먹이를 인식하기 위한 감각 기관과 그것을 잡으러 가기 위한 운동 기관을 소유하고,

들키지 않게…

쑤 욱

뭐지? 이 불길한 느낌은…

감각 기관에 맞추어 운동을 조정하기 위해 신경계까지 지닌 고등동물까지 항상 운동을 해야 해.

잡았다.

젠장!

동물 세포의 가장 초보적인 형태는 얇은 단백질 막으로 둘러싸인 작은 원형질 덩어리로 매우 작고 유연해.

따라서 형태를 바꾸고 운동을 하기에 아주 자유로운 구조를 가지고 있어.

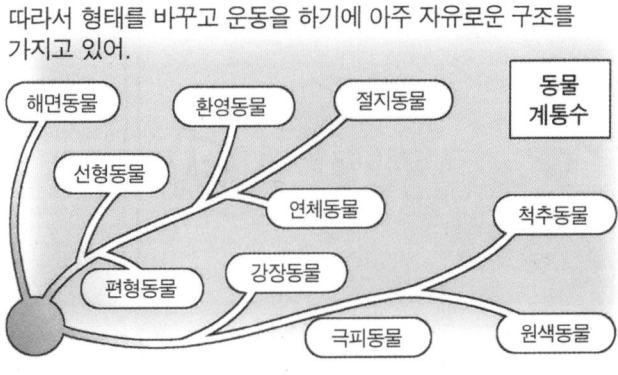

동물 계통수

해면동물 / 환영동물 / 절지동물 / 선형동물 / 연체동물 / 척추동물 / 편형동물 / 강장동물 / 극피동물 / 원색동물

반면에 식물 세포는 단단한 셀룰로오스 막으로 덮여 있어.

셀룰로오스 덕분에 난 외부 자극에 잘 견뎌.

뿍

운동하기에 매우 힘든 구조를 가지고 있는 셈이야.

대신 난 움직일 수가 없어.

물론 끈끈이주걱이나 파리지옥과 같은 식충식물들이 있지.

물론 예외가 있긴 하지.

꿈틀

꿈틀

이들은 영양물질을 섭취하기 위해 움직이기도 하거든.

끈끈이주걱은 잎의 앞면과 가장자리에 붉은 색의 긴 선모(腺毛)가 있고, 잎자루 밑쪽에 갈색의 긴 털이 있는데 이를 이용해 작은 벌레를 잡아.

작은 벌레가 선모에 닿으면 붙어서 움직이지 못하는데

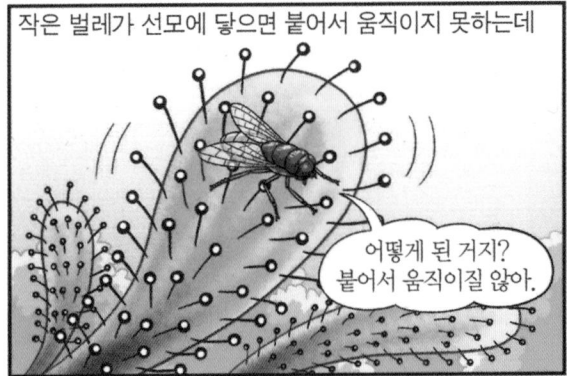

이때 잎이 오므라들면서 소화액이 분비되어 벌레를 소화시켜 영양물질을 흡수하는 거야.

파리지옥은 잎을 벌려 파리나 나비 등을 기다렸다가 이들이 잎에 닿으면 재빨리 닫아 가두지.

그런 후에 일주일 이상 오랜 시간에 걸쳐 천천히 소화시켜 영양물질을 흡수해.

그러므로 고정성이나 운동성을 기준으로 식물과 동물을 결정짓는 것은 옳지 않아.

한편 운동성은 의식과 관계가 있어.

창조적 진화

동물은 신경계가 발달할수록 운동이 정확해지고 운동량이 많아지지.

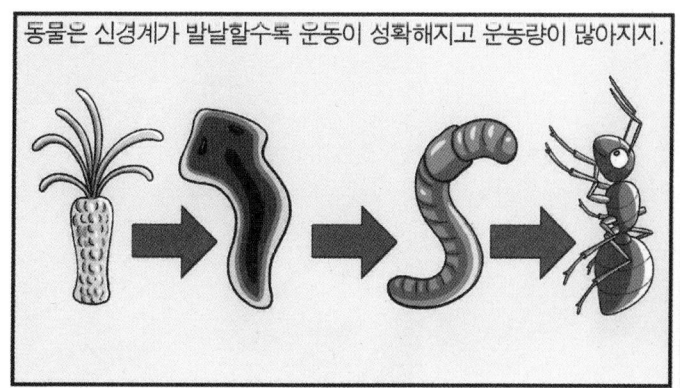

또한 외부의 자극에 대한 반응이 섬세하고 정확해져.

깡탁 깡탁

촉이 온다, 촉이 와! 근처에 영양물질이 있어.

동물은 영양물질을 쫓아야 하므로 운동성을 갖추는 방향으로 진화했어.

찾았다! 내 촉은 역시 정확해.

운동을 통제하는 의식도 점점 명확하게 진화되었지.

크크크~. 내가 원하는 대로 잘하고 있군.

뭔가 날 조종하는 것 같아.

반면 운동성이 사라지면 의식이 마비되거나 잠들게 돼.

피곤해~.

일부 갑각류가 고착 생활과 기생 생활을 하면서 신경계가 퇴화되었지.

난 바닷가 바위에 붙어 사는 거북손이야.

이들은 시간이 지날수록 점점 생물계에서의 위치가 약화돼.

우린 갑각류지만 절지동물의 특성은 찾아보기 힘들어.

그럼 식물은 어떻게 의식적 활동을 하는지 알아보자.

나도 의식이 있어?

식물은 세포벽이 주로 셀룰로오스 성분으로 되어 있어. 셀룰로오스는 유연성이 부족하여 식물의 활동성을 마비시키는 역할을 하지.

일반적으로 식물은 무의식적이라고 할 수 있습니다.

그러므로 동물은 감수성과 깨어난 의식으로,

식물을 무감각과 잠든 의식으로 구분할 수도 있어.

하지만 의식의 유무가 동물과 식물을 구별하는 기준이라고 하긴 어려워.

맞아! 네가 우릴 구별하는 기준이라니 인정 못 해.

운동성이 퇴화한 동물의 의식이 잠들어 있는 것이라면 동물 세포와 식물 세포가 공동의 조상에서 나왔고,

거꾸로 운동성이 있는 식물이라면 의식이 깨어날 수도 있기 때문이야.

의식과 무의식은 동물계와 식물계가 발달한 방향을 표시할 뿐이야.

동물 세포와 식물 세포가 공동의 조상에서 나왔고,

일부 원시 생명체는 식물적 형태와 동물적 형태를 동시에 지니고 있었어. 어떤 때에는 동물적 특성을, 어떤 때에는 식물적 특성을 보였어.

엽록체

광수용기

핵

안점

편모

인

수축포

유글레나는 동물(편모)과 식물(엽록체)의 특성을 모두 가지고 있다.

동물계와 식물계에 나타난 진화의 경향들은 비록 분기된 후지만 오늘날까지 동물과 식물에 공존하고 있음을 볼 수 있어.

다른 것은 비율뿐이야.

난 동물적 특성이 높고,

난 식물적 특성이 높아.

식물　　　동물　　　식물　　　동물

보통은 두 경향 중 하나가 다른 것을 뒤덮거나 압도하고 있어.

쿵~.

하지만 예외적인 환경에서는 다른 것이 두드러져 잃어버린 위치를 되찾기도 해.

이젠 내가 깨어날 때야.

식물 세포의 운동성과 의식은 환경이 허락하거나 요구할 때 깨어날 수도 있어.

!

식물 세포의 운동성과 의식이 완전히 잠든 것이 아니라는 말이야.

우욱! 파리 죽네.

물 물 물

바로 나처럼 말이지.

식물에서 동물의 주도적 의지에 해당하는 것을 살펴보면 알 수 있을 거야.

식물은 광합성을 하기 위해 이산화탄소를 이루는 탄소와 산소의 결합을 분리하는데,

이얍!

싹둑

이때 필요한 태양 복사에너지를 얻기 위해 잎이나 줄기를 굴절시켜.

이것이 일종의 식물의 의지라고 할 수 있어.

광합성을 위해선 빛이 필요해.

식물에서 동물의 감수성에 해당하는 것은 엽록소의 빛에 대한 반응이야.

난 광합성을 통해 포도당과 산소를 만들어 내지.

식물의 신경계는 녹말을 생산하는 데 관여하는 화학 작용이 아닐까 생각해.

포도당은 내 몸 각 부분으로 이동한 후 녹말로 저장하거나 에너지로 사용돼.

동물에게 신경과 신경중추를 갖게 한 동일한 약동이 식물에게 엽록소의 기능을 갖게 했다는 말이야.

모든 게 내 힘 덕분이지.

한편 동물은 내부에 잠재되어 있는 식물적인 경향에 의해 그 진화가 끊임없이 지연되거나, 멈추거나, 뒤로 돌아가기도 해.

검문 검색 좀 하겠습니다.

?

동물계에서 일어난 진화 과정을 보면 수없는 쇠퇴와 퇴락이 일어났음을 알 수 있거든.

당신은 식물적 특성이 강하므로 연행하겠습니다.

난 동물인데?

그것은 대부분 동물의 기생적 습관들과 관련이 있어.

이것은 식물적인 삶을 향한 방향 전환이라고 할 수 있어.

앞에서 말한 거북손이 그런 경우지.

따라서 동물과 식물은 서로의 경향을 모두 지닌 공통의 조상으로부터 나온 것임을 알 수 있어.

이분은 동물의 조상님이셔.

무슨 소리! 우리 식물의 조상님이셔.

지금까지의 고찰에서 우리는 동물계와 식물계를 갈라지게 한 원인을 알 수 있어.

생명은 물질에 가능한 많은 비결정성을 부여하기 위해 노력을 하고 있다는 것이야.

쉽게 말하면 생명은 가능한 자유롭기 위해 노력하고 있다는 거지요.

자유 자유

그런데 생명은 물질로부터 자유롭기 위해 에너지가 필요해.

꼼짝 마!

벗어나려면 힘이 필요해.

생명은 언제나 충분한 에너지를 확보하려고 노력하고 있어.

난 태양과 대지에서 에너지를 얻겠어.

또한 기존의 에너지를 최대로 활용하려 하지.

그럼 난 다른 생명체들로부터 에너지를 얻겠어.

지구에서 얻을 수 있는 에너지의 원천은 태양이야.

지구에서 태어난 최초의 생명체는 태양에서 온 에너지를 끊임없이 축적하려 했고,

에너지를 모아야 해!

에너지를 불연속적이고 폭발적인 방식으로 소비하려고 했어.

모은 에너지를 이용해 새롭게 변할 거야.

식물의 고착성과 무감각이 동물과의 차이점이긴 하지만

운동과 의식은 아직 식물 안에서 깨어날 수 있는 기억으로 잠자고 있어.

식물은 동물을 전진시킨 것과 동일한 약동에 의해 전진하고 있어.

둘 다 날 따라와.

이 약동은 식물과 동물이라는 두 세계가 분리되기 이전부터 있던 원초적이고 근본적인 것이야.

난 늘 그들의 조상과 함께 했지.

식물은 시간이 갈수록 점점 복잡해지는 경향이 있어.

무감각과 부동성의 식물이 동물처럼 복잡해지는 경향을 나타내고 있다는 거야.

식물의 진화 과정

식물도 처음에는 동물과 동일한 추진력을 받았기 때문이지.

 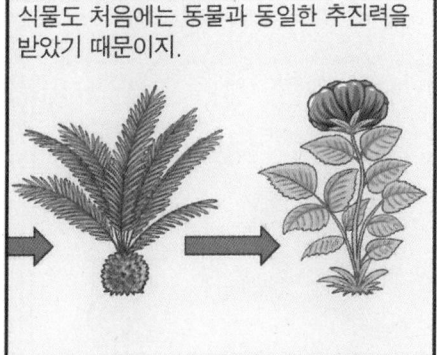

한편, 동물은 식물과 달리 신경계의 발달을 꾸준히 이루었어.

신경계의 진보는 운동이 더 정확해지는 방향으로 이루어졌고,

하등한 모네라*에서부터 재주가 많은 곤충류와 척추동물에 이르기까지 가장 중요한 진보는 신경계의 발달이야.

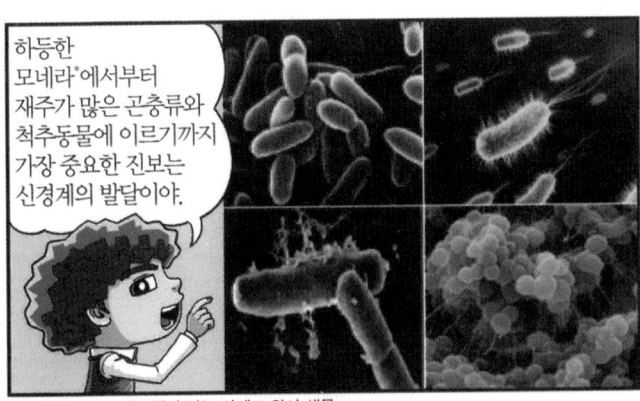

* 모네라(monera): 핵이 없는 단세포 원시 생물.

이들은 진화의 각 단계에서 신경계와 완벽한 조화를 이루었어.

우리에겐 축복이었어.

생명의 역할은 물질 속에 비결정성(자유로움)을 삽입하는 것이야.

비결정성 물질

너를 위해 준비했어.

7장에서 베르그송이 생명체의 탄생과 진화를 생명적 도약(엘랑 비탈)과 물질이 대립한 결과라고 말했던 것을 기억하지?

생명적 도약은 물질과 대립만 하는 것이 아니라 그 물질 속에 비결정성, 즉 자유로움을 부여합니다.

생명이 진화하면서 창조하는 형태들은 비결정적(非決定的)이고, 예측 불가능해.

앞에서도 말했지. 난 예측할 수 없어.

윽! 알았어. 알았다고.

빵!

신경계는 뉴런들이 끝에서 끝으로 이어져 있는데, 이러한 신경계야말로 진정한 비결정성(非決定性)의 저장고야.

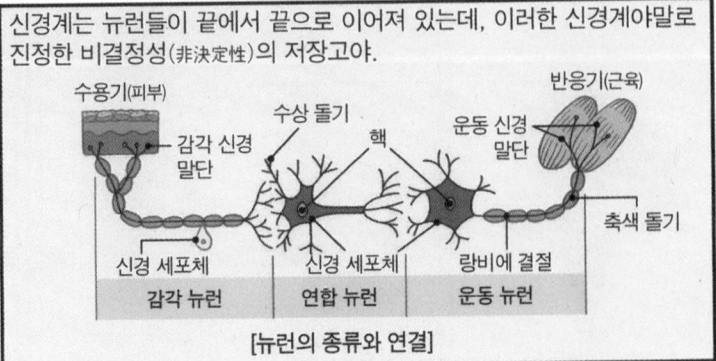

수용기(피부) / 감각 신경 말단 / 수상 돌기 / 핵 / 반응기(근육) / 운동 신경 말단 / 축색 돌기 / 신경 세포체 / 신경 세포체 / 랑비에 결절 / 감각 뉴런 / 연합 뉴런 / 운동 뉴런

[뉴런의 종류와 연결]

이처럼 생명체는 비결정성을 유지하려는 일관된 노력을 했어.

꼭 지켜 내겠어.

비결정성

하지만 대개의 경우 이 노력은 갑자기 중단되기도 하고,

이제 필요 없겠어.

헉!

비결정성

때로는 대립되는 힘늘에 의해 마비되고,

피곤해. 자야겠어.

물질

그래 맘대로 해. 나도 그만둘 테니.

때로는 자신이 하고 있는 것 때문에 해야 할 일에 부주의하기도 해.

아니야. 이대로 포기할 순 없어!

생물체는 발생 초기에는 자유로운 상태이지만, 창조된 습관에 의해 고착된 상태로 묶일 수가 있기 때문이야.

그만 깨어나. 이 비결정성을 다시 받아들여!

됐어. 난 지금이 편해.

비결정성

물질

인간의 경우 말과 문자에 의해 정신의 자유를 죽이기도 하지.

우리가 널 정의해 줄게.

정신

아니. 너희들은 제대로 날 표현하지 못해.

인간의 순수한 열정도 그것이 행동으로 표현될 때에는

너무나 자연스럽게 이해관계나 허영에서 나온 계산적인 결과로 응고되기도 해.

결국 얼어 버렸네!

정신

이런!

이런!

생명의 본질은 운동성 자체야.

내가 하는 모든 것은 운동성에서 비롯되었지.

그러나 어떤 생명체는 이러한 운동성을 마지못해 받아들이거나 그것에 뒤떨어져 있어.

피곤해.

어떤 생명체들은 날 따라주질 않아.

생명은 가능한 한 생명체의 운동성을 극대화시키려는 경향이 있어.

뻐꾸기 너! 남의 둥지에 알을 낳으면 어떡해?

신경 꺼!

그러나 각 생명체는 가능한 적게 노력을 들이려고 해.

난 실용주의자. 이렇게 하면 때까치가 내 알을 품어 키워 줄 거야.

또한 생명체는 각각 자신의 유용함을 목표로 해.

기생충 너! 네 스스로 먹이를 구할 순 없겠니?

뭣 하러? 동물 몸 안에 이렇게 먹을 게 넘쳐나는데.

생명체들은 가장 수고를 덜 들이는 방향으로 진화하려고 해.

자신이 취할 형태에 매몰되어 반수면에 빠지기도 하지.

피곤해, 졸려~.

심한 경우에는 생명 외 나머지 모든 것이 거의 망각되기도 해.

난 누구?

여긴 어디?

생명체들은 주변 환경을 가능한 가장 손쉽게 이용할 목적으로 자신을 만들어나가.

우린 둘 다 여우지만 환경에 적응하여 삶의 방식을 달리 했지.

난 북극여우.

난 사막여우.

이처럼 생명이 나아가는 운동의 방향과 생명체가 나아가려는 진화의 방향은 서로 다르고 종종 적대적이기도 해.

어서 일어나. 저곳으로 가야 한다고.

됐어. 귀찮아. 여기가 편해.

막다른 골목에 이르기도 했지.

어? 갑자기 길이 좁아졌네.

동물적 삶의 도약을 멈추게 할 뻔했던 장애물 때문이야.

이런! 껍질이 걸려 지나갈 수가 없네.

퍽!

장애물은 바로 동물의 몸을 보호해 주는 딱딱한 껍질이야.

젠장, 안전을 위해 만든 껍질이 문제가 될 줄이야.

딱딱한 껍질 속에 갇힌 동물은 운동이 불편했어.

예를 들면 극피동물이나 연체동물이 대표적이지.

난 성게, 극피동물이지.

난 소라, 연체동물이야.

껍질 때문에 동불은 반수면 상태에 빠져 의식이 퇴화되거나 식물에서 볼 수 있는 것처럼 마비에 이르는 거야.

그래도 동물이라 움직이긴 해, 아주 천천히.

난 가시를 이용해 이동해.

난 중앙홈 좌우의 다리를 움직여 이동하지.

이들이 딱딱한 껍질을 가지게 된 것은 다른 동물이 자기를 먹을 수 없도록 방어하려는 경향 때문이었어.

윽! 이빨이 몽땅 빠진 것 같아!

크크크~ 난 껍질 덕분에 안전하지.

동물들은 더 많이 움직일수록 점점 더 탐욕스러워졌고, 서로에게 더욱 위험한 존재가 되었거든.

다이어트를 하시는 것이….

흐흐, 필요 없어.

서로에 대한 견제 때문에 많은 동물이 껍질을 가지게 되었어.

그 결과 동물계 전체는 진화가 갑자기 정지되었을 수도 있어.

응? 길이 끊겼네.

진화

식물이 셀룰로오스 막으로 감싸이면서 의식을 포기하게 된 것처럼.

쿨…

껍질이나 갑옷 속에 갇힌 동물은 반수면 상태에 빠지게 되었기 때문이야.

나도 졸리네.

절지동물이나 척추동물도 마찬가지로 그러한 위협을 받았을 거야.

우린 껍질이 없는 대신 빠른 움직임을 가졌어.

그러나 이들은 그 위험에서 잘 벗어났어.

척추동물과 절지동물은 그 결과 오늘날 생명체 중에서 가장 성공적으로 진화할 수 있었습니다.

동물은 잘 움직일수록 이익이야.

동물을 잘 움직이도록 한 심층적인 원인은 생명체를 이 세계로 던진 생명의 추진력이야.

바로 나 말이군!

그 추진력 때문에 생명체는 동물과 식물로 갈라지고

동물성은 절지동물과 척추동물처럼 형태를 유연하게 하는 쪽으로 방향을 잡았어.

우린 움직임이 자유롭지.

생명체의 성공이란 다양한 환경이 주는 어려움을 잘 극복하고 가장 넓은 곳에서 번성하는 것이라고 할 수 있어.

이 둘이 나의 가장 뛰어난 작품들이지.

절지동물   척추동물

따라서 지구 전체를 자신의 영토로 요구하는 종이야말로 진정한 지배종이며 우월한 종이라고 할 수 있겠지. 척추동물 중에서는 인간이, 절지동물에서는 개미가 여기에 해당할 거야.

인간이 사상의 지배자이듯

개미는 지하의 지배자랍니다.

절지동물과 척추동물은 서로 다른 진화의 길을 걸었으나 비슷한 결과를 얻었어.

절지 동물이 우리 포유류와 같은 속도로 달리고 있잖아!

우릴 무시하지 말라고!

절지동물의 진화는 곤충, 특히 막시류인 개미에서 정점에 도달했고, 척추동물은 인간에서 정점에 도달했거든.

그럼, 인간과 개미가 같은 급이라는 말이야?

동물계의 진화는 식물적 삶으로 후퇴한 것을 제외하면 두 방향으로 이루어졌어.

그 하나는 본능을 향해 가는 것이고

절지동물의 개미가 좋은 예가 됩니다.

다른 하나는 지성을 향해 가는 것이야.

척추동물의 인간이 좋은 예가 됩니다.

식물적 마비, 본능, 지성 이 세 가지는 식물과 동물이 공통으로 가지고 있는 생명적 추진력(도약, 엘랑 비탈)에서 동시에 생겨났어.

이것들은 예측 불가능한 형태들로 나타나고 식물이나 동물이 성장하면서 분리되었어.

예측 불가!

알았으니깐 날 차지 좀 마.

그러나 아리스토텔레스의 전통을 이어받은 대부분의 생물학자들은 식물적인 삶과 동물적인 삶, 그리고 이성적인 삶을 구분하고 각각의 삶 속에서 한 가지의 경향이 발달한다고 생각했어.

식물적인 삶

동물적인 삶

이성적인 삶

그러나 이건 대단히 잘못된 생각이야.

도대체 뭐가?

식물적인 삶, 동물적인 삶, 이성적인 삶 모두 동일한 근원에서 출발한 것으로

하긴 첨엔 똑같았겠지.

성장하면서 하나의 활동성이 세 방향으로 분리된 것이기 때문이야.

또한 이것은 발달하는 수준의 차이가 아니라 본성의 차이이기도 해.

원시 생물, 식물과 동물의 탄생과 진화

원시 생물의 등장과 기원

지구에 생물이 언제부터 있었는지 단정지어 말하기는 어렵습니다. 첨단 전자 현미경의 발달로 세포 단위의 고생물 화석을 매년 새로이 발견하고 있는 데다 어느 단계까지를 생물로 정의할 수 있는지 아직 완전히 결론이 나지 않았기 때문입니다.

과학자들이 인정하는 범위에서 가장 오래된 생물은 그린랜드의 이스아 지방에서 발견되었습니다. 매우 원시적인 형태의 세포로 방사성 동위원소를 이용한 연대 측정 결과 약 38억 년 되었다고 알려졌습니다. 아직 이보다 오래된 생물의 화석이 발견되지 않았으므로 과학 교과서에서는 지구에 생물이 등장한 시기를 약 38억 년 전이라고 합니다.

그러면 이 원시 생물은 어떻게 생겼을까요? 여기에는 몇 가지 학설이 있는데 가장 일리가 있는 것은 화학적 진화입니다. 이것을 실험으로 밝힌 과학자는 미국의 과학자 스탠리 밀러입니다. 그는 1953년에 원시 대기 성분에서 세포의 구성 성분이 되는 아미노산과 같은 유기 화합물이 생기는 것을 실험으로 증명했습니다. 화학적 진화 외에 외계 유입설도 있습니다. 지구에 날아오는 운석 중에는 핵산의 염기나 아미노산이 존재하는 것이 밝혀졌습니다. 따라서 화학적 진화는 지구만이 아니라 우주의 다른 천체에서도 일어나는 것이며, 생명의 기원은 지구 밖에서 찾을 수 있다는 것입니다.

식물과 동물의 탄생

바다에서 출현한 원시 생물은 환경의 변화에 적응하고 살아남기 위해서 여러 방법을 선택했는데 그 중의 하나가 광합성이었습니다. 엽록소 같은 색소를 가진 원시 생물이 출현했고 그 생물은 태양 복사에너지를 이용하여 바다의 풍부한 물과 이산화탄소를 재료로 포도당이라는 영양 물질을 생산하는 데 성공했습니다. 또한 부산물로 산소를 만들어 냈습니다. 이들이 바로 식물의 조상이 되었습니다. 광합성이라는 효과적인 영양물질 생산 방법을 터득한 이들은 바다에서 엄청나게 번성을 했고 이들이 생산한 산소가 대기에 방출되었습니다.

대기로 방출된 산소 중 일부는 태양의 자외선을 흡수하여 오존이 되고 이 오존이 대기의 상층을 덮는 오존층이 되어 생물에게 유해한 태양의 강한 자외선을 막아 주었습니다. 이때 형성된 오존층

수학

때문에 강한 자외선을 피해 물속에서만 살던 생물들은 육지로 올라오기 시작했고, 육상 생활을 하는 식물과 이들을 먹이로 하는 동물이 탄생했습니다.

식물과 동물의 진화

오늘날 지구를 덮고 있는 식물과 동물은 처음에는 모습이 지금과 완전히 달랐습니다. 초기에는 하나의 세포였다가 점점 많은 세포를 가진 다세포 생물로 진화를 했고 이어서 다양한 기능을 가진 조직과 기관을 가진 고등 생물로 진화를 했습니다. 이를 나타낸 그림을 생물의 계통수라고 하는데 아주 간단히 그리면 다음과 같습니다.

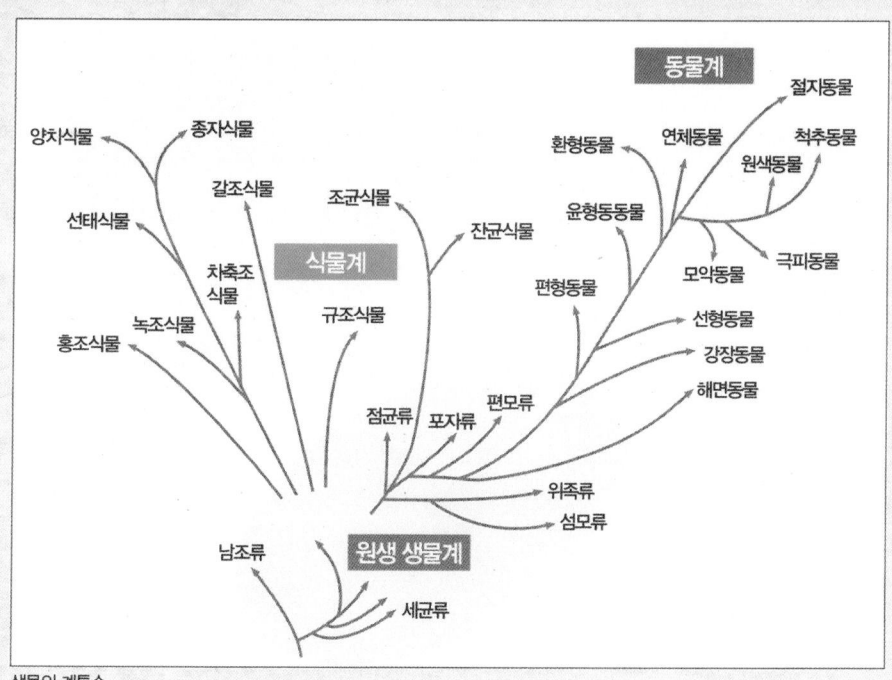

생물의 계통수

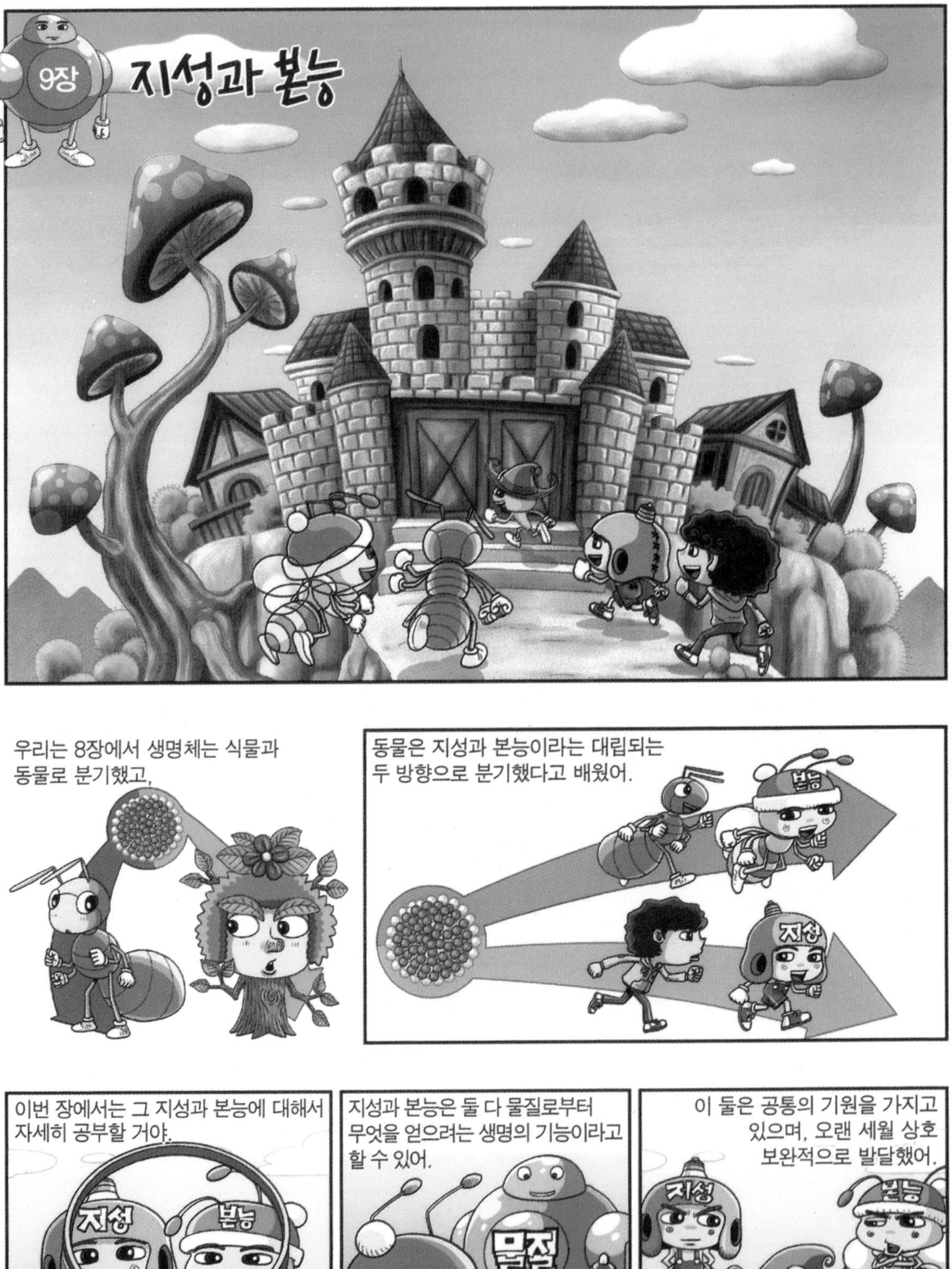

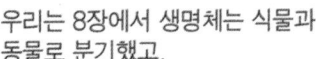

9장 지성과 본능

우리는 8장에서 생명체는 식물과
동물로 분기했고,

동물은 지성과 본능이라는 대립되는
두 방향으로 분기했다고 배웠어.

이번 장에서는 그 지성과 본능에 대해서
자세히 공부할 거야.

지성과 본능은 둘 다 물질로부터
무엇을 얻으려는 생명의 기능이라고
할 수 있어.

이 둘은 공통의 기원을 가지고
있으며, 오랜 세월 상호
보완적으로 발달했어.

다른 점은 비율이야.

지성 본능

지성 본능

본능에는 지성의 흔적이 있어.

어디? 어디에 있는 거야?

실제로 대부분의 본능은 지성과 혼합되어 있어.

여기 있지.

쏴~ 악

Oh my god!

반대로 지성에도 본능의 흔적이 남아 있어.

내 손이….

그런 표정 짓지 마. 나도 별로니까.

그러므로 지성과 본능을 명확하게 구별하기란 쉬운 일이 아니야.

지성과 본능은 완성된 사물이 아니라 경향이기 때문이야.

오르락 내리락. 경향은 언제든지 달라질 수 있어.

경향

인간이라고 부를 수 있는 존재가 처음 지구에 나타난 시기는 언제쯤일까?

인간이 처음으로 연장과 자신을 보호하는 무기를 만들었던 때라고 할 수 있을 거야.

크앙

그 전까지 인간은 동물에 가까운 존재였어.

음….

그러므로 인간을 호모 사피엔스 (Homo Sapiens)라 말하지 않고

Homo Sapiens

빠 직

호모 파베르(Homo Faber)*라고 부르는 것이 더 타당하다고 생각해.

Homo Faber

꽉

* 호모 파베르(Homo Faber): '도구의 인간', 인간의 본질은 도구를 제작하여 사용할 줄 안다는 점이라고 파악하는 베르그송의 인간관.

지성은 인공적으로 물건을 제작하고,

짠~.

도구를 만드는 데 사용되는 도구를 제작하며,

도구를 이용해 또 다른 도구를 만들지.

제작 과정이나 결과물을 변화시키는 능력이라고 할 수 있을 거야.

나를 닮은 도구도 만들 수 있어.

동물도 도구나 기계를 만들고 소유할 수 있을까?

동물은 도구를 소유할 수 있어.

하지만 그 도구는 동물의 몸을 이루는 일부야.

내 더듬이처럼 말이지.

까닥 까닥

맞아. 대표적인 도구는 동물 자신의 기관들이야.

예를 들어 볼까?

난 후각이 인간보다 약 만 배나 뛰어나.

상자 안에 분명….

쿵 쿵

사람들은 이런 개의 뛰어난 후각 능력을 이용하여 공항에서 마약을 찾기도 하지.

단속

왈 왈

개껌으로 위장했지만 마약이 들어 있어요.

상어도 후각이 매우 예민하여 반경 10km 안에 있는 피 냄새를 맡을 수 있다고 해.

어디서 피 냄새가 나는데….

상어닷!

또 독수리는 시각이 매우 발달해서 아주 높은 곳에서 콩알처럼 작게 보이는 쥐를 발견하여 사냥해.

갑자기 어디서 나타난 것야?

네 머리 위에서 왔지.

개미핥기는 이빨이 전혀 없어. 반면에 혀가 매우 길고 표면은 접착력이 뛰어난 타액으로 덮여 있어.

혀로 깊은 곳의 흰개미나 개미 등을 잡아 먹어.

개미핥기가 나타났다. 모두 대피!

할짝~.

뿐만 아니라 위의 근육이 잘 발달되어 있어 단단한 껍질을 가진 개미도 잘 뭉개어 소화시킬 수 있어.

께억~

동물은 도구를 사용할 줄 아는 능력이 본능에서 나와.

모두 내 덕분이지.

따라서 동물의 본능은 유기적인 도구를 사용하고 구성할 줄 아는 능력이라고 할 수 있어.

냐옹·

헉! 저놈의 고양이는 어서 나타난 거야?

파

본능은 도구를 스스로 제작하고 스스로 수리할 수 있어.

겨우 도망쳤네. 대신 꼬리가 잘렸지만….

또 기능은 놀랍도록 단순해.

하지만 괜찮아. 꼬리는 곧 자라날 거야.

기능을 원할 때에는 그 즉시로 사용할 수 있고 그 결과는 아주 우수하지.

뭐야! 겨우 꼬리만 잡았잖아.

꿈틀

본능은 전문화되어 있고, 한정된 대상에서만 사용할 수 있어.

하지만 본능이 변한다고 해서 생명체의 종이 변하지는 않아.

난 냄새 전문가. 하지만 후각이 사라진다 해도 난 여전히 개야.

나 역시 마찬가지야.

그래서 동물의 도구는 구조가 거의 변하지 않아.

한마디로 제한적이란 소리지.

그만큼 완전하다는 것 아니겠어.

반면에 지성이 제작한 도구는 불완전해.

모자란 놈!

수고로운 작업과

명검은 뜨거운 불과 찬 물을 오가는 담금질과

타 닥 타 닥

고된 노력의 대가로 얻을 수 있어.

자신의 몸을 내리치는 육중한 망치질을 견디며 탄생하죠.

아 그렇군요.

도구는 무기물질로 만들었으므로 어떤 용도로도 사용할 수 있어.

하지만 평온한 세상에선 이런 무기가 필요 없죠.

또한 형태도 쉽게 바꿀 수 있어 활용도가 크지.

칼을 녹여 다시 호미나 쟁기 같은 농기구를 만들어야겠어요.

NBS기획다
장인을 찾아

설마 명검을 만들 실력이 없는 건 아니겠지?

지성이 만드는 도구는 본능이 만드는 것보다 훨씬 다양해.

어때? 내가 만든 것들이야.

도구를 만들면서 얻은 지적인 능력은 그 도구를 제작한 존재의 지성에 다시 작용해서 지성을 발전시키기도 하지. 그래서 점점 뛰어난 성능의 도구를 만들었어.

시간이 지나면 지날수록 난 더 많은 것들을 만들어 낼 거야.

지성과 본능은 초기에는 서로 영향을 주면서 발달했어.

정정당당하게 반칙하면 안 돼!

Ok.

지성과 본능은 생명의 진화가 이루어지는 과정에서 조금씩 갈라진 거야.

길이 달라졌어.

그럼 각자의 길에서 최선을 다해 보자고.

그러므로 아주 먼 과거로 거슬러 올라간다면 오늘날 곤충이 가진 본능보다는 상대적으로 지성에 더 가까운 본능을 발견할 수 있을 거야.

너….

생명의 힘이 생명체들을 동시에 여러 방향으로 멀리까지 진화시키기는 어려워.

함께 이끌려니 힘에 부쳐.

그래서 선택을 해야 했어.

난 본능과 함께.

넌 지성과 함께.

그렇지만 결코 완벽하게 분리되지는 않아.

나도 같이 가.

뭐야?

작은 본능이 따라왔네.

지성과 본능은 자신들이 완벽하게 지배할 수 없는 물질의 포로이기 때문이야.

진짜 저놈의 물질….

만약 생명에 내재하고 있는 힘(엘랑 비탈)이 무제한으로 강하다면 본능과 지성의 방향으로 무한히 발달했을 거야.

물질이라면 내가 해결해 주지.

힘내요. 엘랑비탈~.

하지만 그 힘에는 한계가 있어.

뭐 하니?

역시 무리였어.

생명은 절지동물에게 본능을 향해 거침없이 진화하도록 했어.

물질 정복엔 실패했지만 널 절지동물 안에서 강하게 만들어 줄 순 있어

믿어도 될까?

밤새 짝을 찾기 위해 노래하는 귀뚜라미와,

오~ 줄리엣, 창문을 열어 주오~.

시끄러! 잠 좀 자자, 잠 좀.

봄이 되면 어디선가 나타나는 쇠똥구리,

남이 배설한 똥이지만 나에게는 달콤한 양식이지!

날카로운 침을 지닌 말벌 등을 보면 잘 알 수 있어.

우리 집을 건드리기만 해 봐. 쏜다!

움찔

생명은 척추동물에게 지성을 추구하게 했어.

지성은 척추동물과 한 조다.

잘해 보자.

그러나 척추동물은 충실하게 진화하진 못했어.

머리를 써. 꼬리 좀 그만 쓰고.

싫어. 난 이게 편해.

척추동물의 활동에서 기본이 되는 것은 여전히 본능이기 때문이야.

야호~.

화가 난다. 화가 나~.

예외적으로 인간만이 지성을 완벽하게 소유하게 되었어.

고마워. 네가 내 자존심을 살려 줬어.

고맙긴 뭐~.

그건 인간이 자신의 적들과 싸우고, 추위와 굶주림에 대항하여 싸우면서

크앙

자연이 주는 수단이 불충분하다는 것을 절실히 깨달았기 때문이야.

적들과 싸우고 추위를 이겨낼 도구가 필요해!

그래. 바로 그거야.

그럼 지금부터 지성과 본능의 특징에 대해 좀 더 구체적으로 알아볼까?

먼저 지성이야.

지성

베르그송은 지성에 대해 이렇게 말했어.

지성에는 몇 가지 본질적 특성이 있습니다.

첫째, 지성은 진화의 초보적 단계에서 고체 상태의 무기물질을 주요 대상으로 삼는다고 했어.

재료가 아주 마음에 드는군.

지성은 제작을 중요시하는 데 주로 무기물질을 재료로 사용하지.

좋았어.

유기물질이라고 하더라도 그것에 형태를 불어넣은 생명에 대해서는 개의치 않고 타성적* 대상으로 생각하고 다룰 뿐이야.

응? 새로운 재료다.

설마 날 조각하겠단 소린 아니겠지?

다만 지성은 무기물질, 특히 고체 상태의 물질에 익숙하지.

얼려 버리면 고체가 되지. 난 고체가 좋아.

싫어~.

후웅

* 타성적(惰性的): 오래되어 굳어진 버릇과 같은 것

둘째, 지성은 불연속적인 것만을 명확하게 표상*할 수 있어.

역시 고체가 마음에 들어.

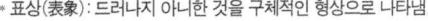

그것은 지성이 다루는 대상인 무기물질이 가지는 특성 때문이야.

무기물질은 임의로 잘개 쪼갤 수 있기 때문이지.

고체화시키니 다루기가 쉽군.

* 표상(表象): 드러나지 아니한 것을 구체적인 형상으로 나타냄.

셋째, 지성은 부동성(不動性)만을 명확하게 표상할 수 있어.

날 묶어 놓고 뭘 하려는 거야?

뭘 하긴? 새로운 조각을 해 볼 셈이야.

우리의 지성이 관심을 가지는 대상들은 대부분 움직이는 것들이야.

응! 저건 또 뭐지?

바쁘다 바빠~.

우리는 (대표적으로 과학자들) 무엇보다도 그것의 현재 또는 미래의 위치에 집착하고,

잡았다!

엉?

그것이 한 위치에서 다른 위치로 이동하는 과정에는 큰 관심이 없어.

어지러워. 그만 좀 움직여!

그런다고 날 멈출 수 없어.

마치 부동성이 궁극적인 실재인 것처럼 언제나 거기서 출발하려고 해.

좋았어! 이제 편히 연구 좀 할 수 있겠어.

뭐야! 설마 저 깡통을 나라고 생각하는 거야?

운동을 나타낼 때에도 지성은 부동성을 나란히 배열하여 운동을 재구성할 뿐이야.

또한 지성은 무슨 일을 하든지 유기적인 것을 무기적인 것으로 분해해.

무서워….

걱정하지 마. 내가 잘 분해해 줄게.

지성은 자신의 자연적인 방향을 바꾸지 않는다면 진정한 연속성과 운동성, 그리고 상호 침투 등을 생각할 수 없어.

그런 식으론 날 절대 알 수 없어.

맞아. 어서 가짜 시간을 가지고 날 분석하려 해.

한 마디로 지성은 생명 그 자체인 창조적 진화를 생각할 수 없다는 말입니다.

한편 생물학의 발달로 과학자들은 유기체를 세포 단위로 분해하고 연구할 수 있게 되었어.

세포 연구가 발달하면 할수록 세포가 매우 복잡한 소기관으로 형성된 또 하나의 유기체임을 알게 되었어.

세포를 이루는 기관이 굉장히 많아!

세포는 그림처럼 핵, 소포체, 액포, 엽록체, 미토콘드리아 등의 다양한 소기관으로 이루어져 있다는 것을 알게 되었지.

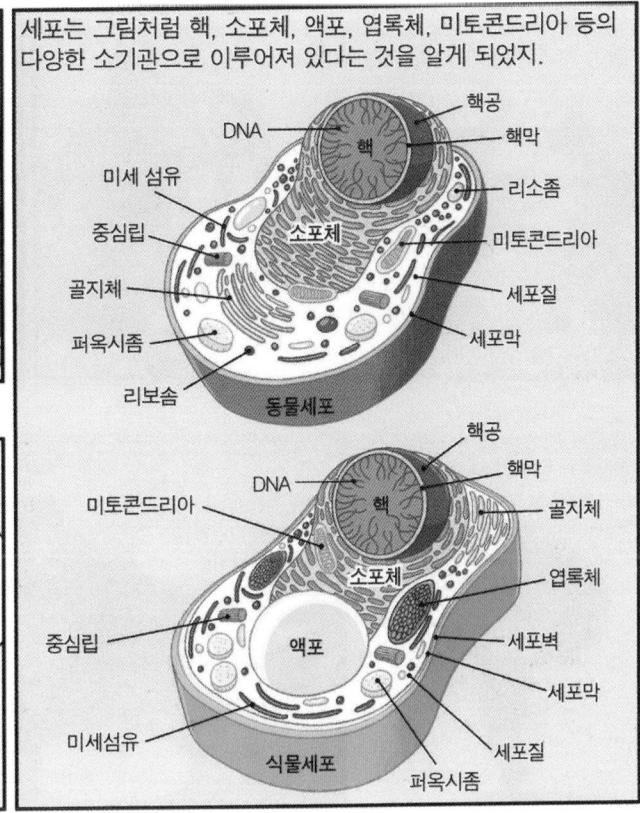

동물세포

DNA
미세 섬유
중심립
골지체
퍼옥시좀
리보솜
핵
소포체
핵공
핵막
리소좀
미토콘드리아
세포질
세포막

식물세포

미토콘드리아
DNA
중심립
미세섬유
핵
소포체
액포
핵공
핵막
골지체
엽록체
세포벽
세포막
세포질
퍼옥시좀

그런데 생물학자들이 이처럼 세포의 정체를 파악했다고 해서 생명의 본질을 더욱 잘 알아낼 수 있을까?

진짜 이런 식으로 알 수 있다고 생각해?

그건 아닙니다. 이것은 생명에 대한 또 다른 차원의 분석일 뿐입니다.

조금 더 가까워졌다고 하더라도 결국 생명의 연속성에 다다르지는 못해.

충분히 잡을 수 있어.

과연 그럴까?

진실을 말하자면 생명의 연속성은 지성에 의해 생각될 수 없는 것이야.

그래서야 날 잡을 수 있겠어?

내가 빠른 것 같은데 왜 못 잡는 거지?

지성은 본래적 의미에서의 진화, 즉 순수한 운동성이라고 할 수 있는 변화의 연속을 생각하도록 되어 있지 않아.

너, 나 알아?

음… 글쎄?

지성은 언제나 주어진 것만으로 재구성하려 하기 때문이야.

하긴 알 리가 없지.

그래서 지성은 생명 진화의 역사에서 매순간 새로운 것을 빠져나가게 만들어.

지성은 예측 불가능한 것을 받아들이지 않고, 모든 창조를 거부해.

내가 그렇게 싫어?

응, 싫어. 난 예측이 좋아.

나도 저놈이 싫어.

이미 결정된 사실을 바탕으로 그것들을 함수로 계산할 수 있고,

예측과 함께라면…

그것으로 결정된 결과를 알 수 있다는 사실만이 우리의 지성을 만족시켜.

역시 오늘 비가 올 줄 알았어.

응?

지성은 반복되는 과거와 관계하고 있고, 우리의 지성은 거기서 마음 편히 있을 뿐이야.

오늘 비가 올 걸 어떻게 알았지?

그야… 그동안 날씨를 분석해보면 답이 나오지.

이러한 지성의 특성을 잘 대변한 사람이 수학자이며 천문학자인 루제르 보슈코비치라는 사람이야. 그는 원자들의 위치, 속도, 힘을 알 수 있는 어떤 지성적인 존재를 생각했고, 다음과 같은 말을 했어.

나는 그러한 지성이 시간의 간격에서 묘사되어지는 연속적인 호로부터 물질의 모든 점들에 의해서 아무리 작다 할지라도 힘의 법칙 그 자체를 이끌어 낼 수 있을지도 모른다고 생각한다. 만약 지금 힘의 법칙을 안다면 어느 주어진 순간에 모든 점들의 위치, 속도, 방향 등을 예견하고 반드시 그들로부터 뒤따르는 모든 현상을 예측하는 것이 가능할 것이다.

내 마음에 쏙 드는 사람이군.

지성은 모든 실재가 유동적인 것임에도 불구하고

생명은 단순히 예측할 수 있는 대상이 아니야.

성지한 고체의 형태로 생각하려는 완고함에 빠져 있어.

무슨 소리? 과거를 분석해 보면 예측할 수 있어.

너 참 고집이 세구나.

지성은 생명에 대한 자연적인 몰이해로 특징 지을 수 있어.

그러면 지성과 대립하는 본능은 어떤 것일까?

지금부터 본능에 대한 베르그송의 생각을 살펴보자.

베르그송은 본능이 생명의 형식 자체를 본떠 만들어졌다고 해.

어디가 닮은 거지?

외모를 말한 게 아니야. 네 본성을 말하는 거지.

지성은 모든 사물을 기계적으로 다루는 반면 본능은 모든 사물을 유기적으로 대한다는 것이지.

넌 이제 기계야. 내가 시키는 대로만 해.

나와 함께 자유를 만끽해 볼까?

본능 속에서 잠자는 의식이 깨어나고, 본능이 행동으로 표면화되는 대신 인식으로 내면화된다면 우리가 본능에게 질문을 할 수도 있을 겁니다.

그러면 본능은 우리에게 생명의 가장 내밀한 비밀들을 건네줄지도 모릅니다.

작은 병아리가 부리를 쪼아 자신의 껍질을 깨뜨릴 때 그것은 본능에 따라 행동하는 것입니다. 그렇지만 그것은 배(胚)의 삶을 통해 자신을 실어 나르는 운동을 따르는 것에 지나지 않습니다.

실제로 한 생명체에는 수없이 많은 세포들이 하나의 공통된 목표를 위해 함께 일하고 있어.

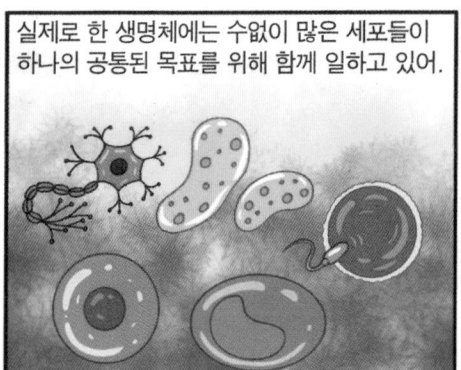

사람을 예로 들면 사람은 약 100조 개가 넘는 세포로 이루어져 있다고 해.

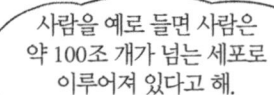

이들 세포들은 각각 자신을 위해 사는 동시에 다른 것들을 위해 살고 있어. 또 각 세포는 스스로를 유지하기 위해 산소와 영양물질을 섭취하고 있지.

모든 세포들은 하나의 몸을 위해 일하고 있어.

난 외부자극으로부터 몸을 보호해.

난 조직 곳곳에 산소를 공급해.

난 다음 세대에게 유전정보를 전달해.

난 병원균과 싸워 몸을 보호하지.

난 감각을 뇌에 전달하거나 뇌의 명령을 근육에 전달하는 일을 해.

또한 다양한 위험에 부딪치면 적절히 반응하지.

앗! 뜨거.

본능은 세포의 자연적 기능들을 활성화시키는 중요한 요소라고 할 수 있어.

깨어나라.

번뜩!

본능이 생명 자체를 생각하지 않는다고 할 수 있겠어?

이제 알겠지. 너하고 나의 닮은 점을.

그러게. 닮았네.

물론 생물학자들은 동물이 지니고 있는 다양한 종류의 본능을 과학적으로 설명할 수 있을 거야.

세로토닌이란 신경전달물질은 주로 감정 조절을 하는데 부족하면 폭식증, 우울증을 겪게 됩니다.

그러니 현재의 과학적 연구와 설명 방식으로는 동물의 본능을 완전히 이해하기 어려워.

그런 식으로 날 진짜 이해할 수 있겠어?

넌 뭐야?

본능의 본질은 생물학자들이 사용하는 과학적인 방법과 지적인 용어로 표현하기도 쉽지 않아.

그럴 줄 알았어. 내가 바로 본능이야.

본능 그게 뭔데? 먹는 건가?

신(新)다윈주의자들은 본능을 자연 선택에 의해 보존된 '우연'한 차이들의 총합이라고 주장해.

뭐지?

자연 선택

그들은 배에 미리 내재하는 우연한 성향들 덕분에 개체는 본능을 가지고 여러 유용한 행동을 할 수 있으며,

잡았다.

뭐 하는 거지?

또 그런 과정이 동일하게 반복되어 새로운 본능이 완성되어 배에서 배로 전달된다고 해.

받아.

OK.

이것들이 날 갖고 뭘 하는 거야?

본능의 기원으로 제시된 우연적 변형들이 개체에 의해 획득되는 것이 아니라 배에 내재하고 있기 때문이라고 생각하기 때문이야.

헐….

그러나 본능의 완성은 단순한 변이의 증가에 의한 것이 아니야.

내가 우연 때문이라고 말도 안 되는 소리지.

그윽!

각각의 본능은 그 본능을 수행하기에 적당하도록 생명체 전체를 개조해야 하기 때문이야.

어떻게 우연이 그러한 개조를 할 수 있을까요? 아무도 우연이 그러한 기적을 이룰 수 있다고 주장하지는 못할 겁니다.

비록 동물의 본능이 유전에 의해 후손에게 전달되고,

내 안에 본능 있다.

지적으로 획득한 습관에 연관시킬 수 있다고 해도 설명하기 어려운 큰 문제가 있어.

내 안에도 본능 있다.

?

결코 지적이지 않은 식물의 본능은 이 원리를 적용해서 설명할 수 없기 때문이야.

설마 네 본능도 습관 때문이라고 하진 않겠지?

음….

생물학자들은 '덩굴식물이 어떻게 그토록 정확하게 덩굴손을 사용할 수 있는지'와

'난초과 식물이 수정을 하기 위해 얼마나 교묘하게 곤충을 이용하는지'를 정확하게 설명하지 못해.

설명해 봐.

음, 그게….

생물학자들처럼 본능을 표상의 언어로 기록하려 하는 것은 헛된 일이라고 생각해.

그러니깐 본능을 자꾸 설명하려고 애쓰지 마.

본능은 사유되는 것이 아니라 느껴지는 것이기 때문이야.

생각하지 말고 느껴 봐.

난 과학자야. 생각하지 말라니 그게 말이 돼?

예를 들어 볼게.

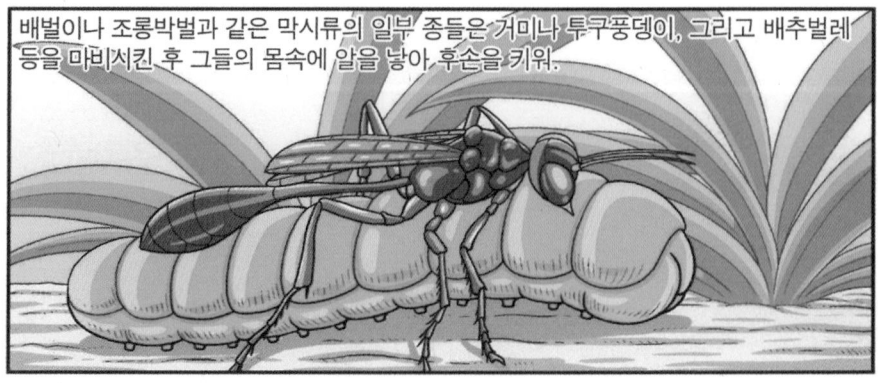

배벌이나 조롱박벌과 같은 막시류의 일부 종들은 거미나 투구풍뎅이, 그리고 배추벌레 등을 마비시킨 후 그들의 몸속에 알을 낳아 후손을 키워.

막시류는 유충의 먹이가 되는 희생자를 죽이지 않고 마비시키기 위해 신경중추를 침으로 찔러.

억!

이때 막시류는 다양한 희생자들의 특성에 따라 정확하게 침을 찌르지.

몸을 움직일 수가 없어.

당연하지. 넌 마비됐거든.

배벌은 세토니아 유충을 공격할 때 한 점만을 찔러.

그 점에 세토니아 유충의 운동 신경절이 집중되어 있기 때문이야.

으~.

걱정 마. 죽진 않을 거야.

만약에 잘못해서 다른 곳을 찌르면 유충이 죽어서 부패하게 돼.

으, 실수!

노란날개 조롱박벌은 귀뚜라미를 희생자로 선택해서 침을 찔러.

그런데 조롱박벌은 마치 귀뚜라미가 세 개의 신경중추를 가지고 있는 것을 잘 알고 있는 것처럼 침을 사용해.

먼저 목을 찌르고, 다음에는 앞가슴 뒤를, 그리고 마지막으로 복부의 밑동 공격!

또 나나니벌은 배추벌레의 아홉 개 신경중추를 차례로 쏜 후에 마지막으로 머리를 물어.

우걱 우걱

그래서 배추벌레를 죽이지 않은 상태에서 씹어 먹지.

물론 이들도 실수를 하긴 해.

나도 항상 정확한 것은 아니라는 말이지.

모래조롱박벌이 배추벌레를 마비시키지 않고 죽이는 일도 있고,

이런 죽어 버렸네.

또 가끔은 절반만 마비시키는 경우도 있어.

잉? 꼬리 부분이 움직이잖아.

움찔

조롱박벌이 먹이를 움직이지 못하게 하기 위해 찔러야 할 지점들과.

죽이지 않고 마비시키기 위해 운동 신경절에 침을 놓는 특별한 처치 방법을 어떻게 알았을까?

콕 콕 콕

이들이 오랜 기간 학습에 의해 알았다고 한다면 어떻게 이토록 정확한 재주들을 유전에 의해 후손들에게 전달할 수 있을까? 큰 의문이 아닐 수 없어.

신경 1 신경 2 신경 3

잘 보고 익히도록.

과연 선조로부터 배운 것일까?

생물학자들은 이런 막시류의 재능을 지성의 용어로 설명해.

막시류는 페로몬이란 화학물질을 이용해 정보교환을 합니다.

페로몬

만약 생물학자들의 설명이 맞다면 우리는 조롱박벌을 곤충학자로 여겨야 할 거야.

조롱박벌 박사님, 대단하십니다. 어떻게 배추벌레의 몸 구조를 그렇게 정확하게 아시는지요

하하하~ 박사까지는 뭐….

그리고 조롱박벌은 곤충학자처럼 배추벌레의 신경중추를 그의 부모들로부터 하나하나씩 배워야 하고, 실험으로 확인해야 할 거야.

오늘은 배추벌레의 신경중추에 대해 공부하겠다.

그러나 조롱박벌은 학습에 의해 배추벌레의 신경중추를 아는 것이 아니야.

그건 왜 공부하죠? 우린 본능으로 이미 알고 있잖아요.

그렇긴 하지. 하하.

이들은 공감에 의해 배추벌레의 신경중추를 알아.

보인다! 배추벌레의 급소가.

공감*으로 한다면 지각에 의존하지 않고도 느낄 수 있기 때문이지.

물론 이런 주장은 과학자들에게는 인정받을 수 없을 거야.

지각과 인식의 앞에 공감을 놓아서는 안 됩니다.

* 공감(共感) : 남의 감정이나 주장 등을 자기도 그렇다고 느끼거나 생각하는 것.

생물학자들은 본능을 타락한 지성과 동일시하거나 순수한 자동기제라고 단정 지어.

타락한 지성은 수술이 필요하지. 크크크~.

이러지 마세요. 전 그저 본능일 뿐이라고요.

그래서 본능을 지적인 과정으로 완전히 분해하려 해.

거기 서! 아직 수술이 끝나지 않았어.

싫어, 싫다고.

우리의 생물학은 여전히 아리스토텔레스의 가르침에 갇혀있어.

가르침을 주세요.

생명체들의 계열을 일직선적인 것으로 간주하며,

모두 일직선으로 서도록 해!

왜?

생명체는 감성과 본능을 경유하여 지성을 향해 진화했다고 말하고 있어.

내가 지성 아래라고? 말도 안 돼!

당연하지.

지성

본능

감성

그러나 그건 아니야.

진화는 분기되는 선들을 따라서 이루어졌기 때문이지.

본능이 진화해서 지성으로 발전한 것이 아니라 본능과 지성은 각각 따로 진화했습니다.

본능적으로 행동하는 곤충의 의식 안에는 즉각적인 공감과 반감이 있어.

조롱박벌은 지성이 인식하는 것과는 아주 다르게 자신의 내부로부터 우리가 공감이라 부르는 직관으로 먹이의 신경중추 등을 파악하는 거야.

생각하지 말고 바로 느끼란 말이야. 느껴!

그러므로 공감은 생명적 작용들의 비밀을 아는 열쇠가 될 수도 있어.

생명에 대해 알고 싶다면 날 따라와.

지성이 우리를 물질 안으로 인도해 주는 것처럼, 직관은 우리를 생명의 내부로 인도해 줘.

생명의 정원에 오신 걸 환영합니다.

직관은 아무런 편견 없이 자기 자신을 의식하고 반성할 수 있으며,

무한히 확장할 수 있는 본능이기 때문이야.

지성의 완고함을 보완해.

인정할 수 없어.

지성은 빛나는 핵으로 남아 있고 본능은 직관으로 확대돼.

그럼 넌 그곳에 있어.

난 직관을 따라갈 테니.

직관은 우리와 나머지 다른 생명체들 사이의 공감적 소통을 가능하게 하지.

또, 지성적인 일의 부족한 점을 깨닫게 해 주고, 그것을 보완할 수단을 알려 줘.

넌 니무 이성적으로 생각만 해. 그냥 한번 느껴 봐.

뭐지? 내가 왜 직관에게 이런 말을 들어야하지?

직관은 무한히 연속되는 창조의 영역인 생명의 영역으로 인도할 거야.

이곳에 들어오고 싶다면 내말대로 해 봐.

이제 이 장을 정리해 보자.

생명 안에 있는 의식은 스스로 해방되기 위해 유기조직을 식물과 동물이라는 두 부분으로 나누었어.

그 후 본능과 지성이라는 두 개의 방향에서 출구를 찾으려고 했어.

출구를 찾아야 해!

의식은 지성 쪽에서 출구를 찾을 수 있었어.

찾았다!

환영해!

동물에서 인간으로의 갑작스러운 도약에 의해서 그것이 가능했지.

인간

동물

이러한 사실로 비추어볼 때 결국 인간은 지구라는 행성에서 사는 생명 전체의 존재 이유일지도 몰라.

인류의 진화

    백과사전을 보면 인류를 생물 분류학상으로 영장목(目) 사람과(科)에 속하는 포유류라고 정의하고 있습니다. 이 정의를 제대로 이해하려면 영장목에 속하는 동물에는 어떤 것이 있고, 사람과에 속하는 동물에는 어떤 것이 있는지 알 필요가 있습니다. 영장목은 인류와 원숭이, 그리고 침팬지 등의 공통 조상에 해당하는 동물입니다. 흔히 영장류라고 말하지요. 다음 그림을 보면 영장목에 해당하는 동물이 무엇이 있는지 알 수 있을 겁니다. 아래 그림에 나오는 동물들을 일일이 알 필요는 없습니다. 다만 우리 인류가 얼마나 오랜 세월 다양한 진화 단계를 지나 지금에 이르렀는지 알면 됩니다.

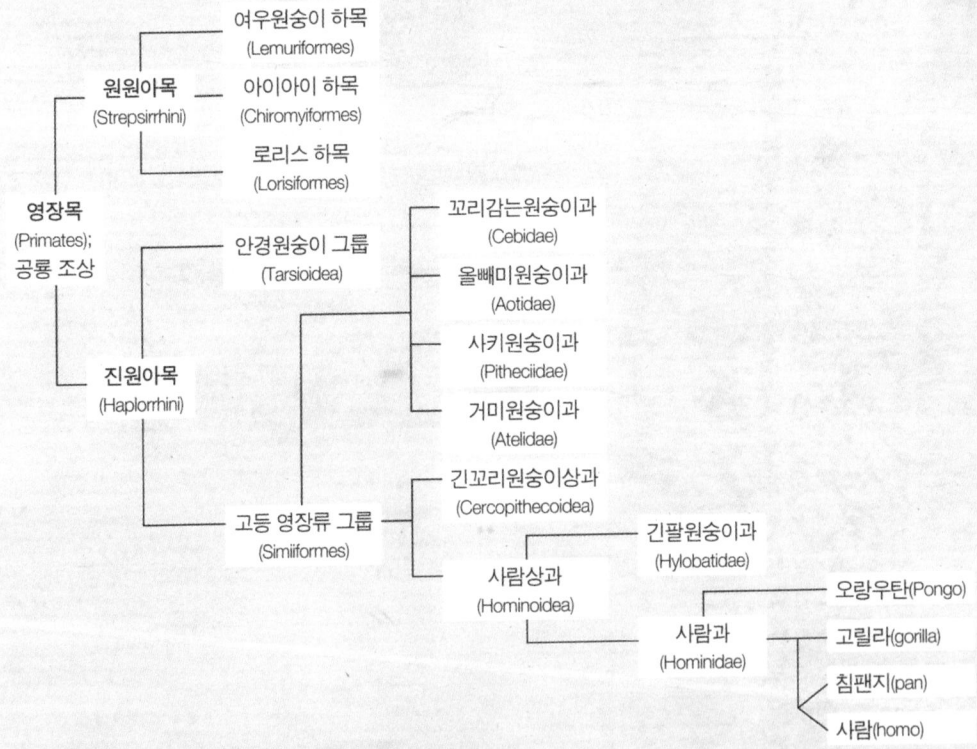

    사람과에 속하는 동물에는 오랑우탄, 고릴라, 침팬지, 사람이 있습니다. 긴팔원숭이과의 원숭이들을 제외하고는 분류 단계에서 사람과 원숭이는 거리가 좀 멀지요. 인류의 조상을 연구할 때에는 오

스트랄로피테쿠스 단계부터 생각합니다. 이 단계 바로 직전에 오랑우탄과 고릴라, 그리고 침팬지와 사람의 진화의 갈래가 나뉘어졌기 때문입니다.

인류의 진화

인류의 진화는 Homo 라는 단어가 붙은 동물 종의 진화로 생각할 수 있습니다. 진화 단계 별로 간단히 정리하면 오스트랄로피테쿠스 → 호모 하빌리스 → 호모 에렉투스 → 호모 사피엔스가 됩니다.

오스트랄로피테쿠스(Australopithecus, 남쪽의 원숭이라는 뜻)

– 유인원과 인류의 중간 형태를 가진 동물로 500만 년 전에서 50만 년 전에 아프리카 대륙에서 살았습니다. 현생 인류와는 모습이 많이 다르지만 두 발로 걸을 수 있고, 송곳니가 원숭이와는 다르게 작고 덜 날카롭습니다. 1924년에 남아프리카에서 처음 발견되었습니다.

호모 하빌리스(Homo habillis, 손 재주가 있는 사람이라는 뜻)

– 아프리카 동부와 남부에서 화석이 발견되었고 유인원에서 인간으로 갓 진화한 단계로 판단됩니다. 메간트로푸스, 피테칸트로푸스 에렉투스 등으로 종류가 나뉘는데 직립 보행을 했으며 조잡한 단계의 도구나 나무, 돌 등을 사용하여 채집이나 원시적인 수렵을 했던 것으로 추정합니다.

호모 에렉투스(Homo erectus, 똑바로 선 사람이라는 뜻)

– 1940년대 이후에 자바 원인과 베이징 원인 등이 발견된 후 이들이 하나의 종으로 인정을 받았습니다. 두발로 직립 보행을 했고, 뇌의 용적이 커져 좀 더 현대인에 가까워진 것으로 밝혀졌습니다.

호모 사피엔스(Homo sapiens, 슬기로운 사람이라는 뜻)

– 호모 사피엔스는 약 20만 년 전에 출현한 인류입니다. 이중에서 일부가 진화하여 호모 사피엔스 사피엔스 (Homo sapiens sapiens, 슬기롭고 슬기로운 사람이라는 뜻)가 되었습니다. 흔히 크로마뇽인으로 알려진 이 인류가 출현한 것은 약 4만 년 전이고 현재 살고 있는 인류의 직접적인 조상으로 생각됩니다. 오늘날의 백인, 황인, 흑인 등 인종적인 특징이 생긴 것도 이들부터로 추정됩니다.

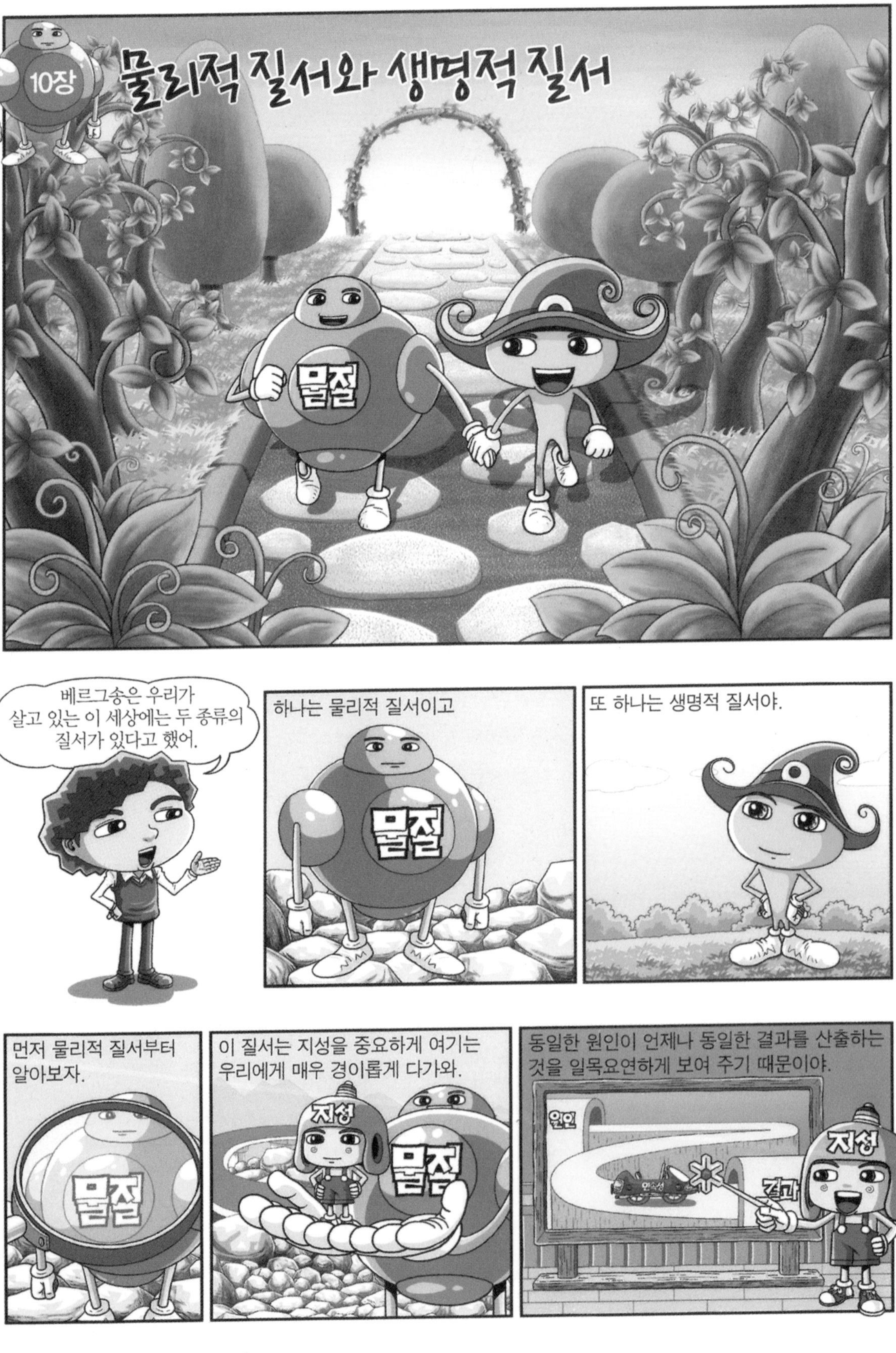

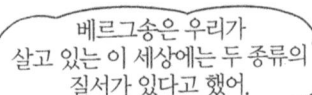

10장 물리적 질서와 생명적 질서

베르그송은 우리가 살고 있는 이 세상에는 두 종류의 질서가 있다고 했어.

하나는 물리적 질서이고

또 하나는 생명적 질서야.

먼저 물리적 질서부터 알아보자.

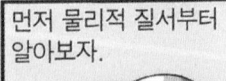

이 질서는 지성을 중요하게 여기는 우리에게 매우 경이롭게 다가와.

동일한 원인이 언제나 동일한 결과를 산출하는 것을 일목요연하게 보여 주기 때문이야.

두어 가지 예를 들어볼까?

먼저 물질의 상태 변화를 들 수 있을 거야.

내가 널 새로운 스타일로 만들어 주지.

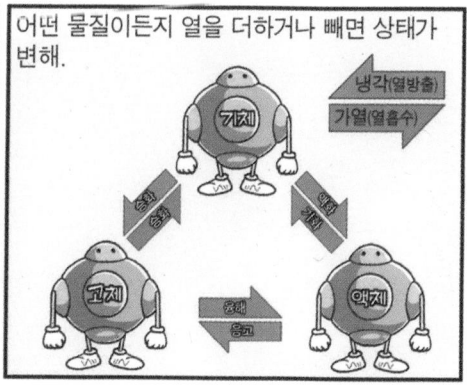

어떤 물질이든지 열을 더하거나 빼면 상태가 변해.

우리 주위에서 흔하게 볼 수 있는 물질인 철*을 생각해 보자. 고체 상태인 철에 열을 주어서 1538℃ 이상이 되게 하면 액체 상태인 쇳물이 돼.

이 쇳물에 계속 열을 주어서 온도가 2682℃이 되면 철이 기체, 즉 철 증기가 되는 거야.

반대로 기체 상태인 철 증기에서 열을 빼앗아 2682℃ 밑으로 내려가면 다시 액체 상태의 쇳물이 돼.

쇳물에서 열을 더 빼앗아 1538℃ 밑으로 내려가게 하면 고체 상태인 철이 되고.

* 이 책에서 말하는 철은 순수한 철이고, 1기압 상태에 있다고 가정한다.

여기서 원인은 '열을 더하거나 빼는 일'이고,

내가 원인이고

결과는 '상태가 변하는 것'이야.

내 변화가 바로 결과지.

이 현상은 우주 어디에서도 마찬가지로 적용이 돼.

철이 지구에서 1538℃에서 녹으면 다른 행성에서도 기압이 같다면 같은 온도에서 녹을 거야.

여긴 어디지? 지구에서처럼 내 몸이 녹고 있어.

이 일은 1000년 전이나, 지금이나, 앞으로 수만 년 후에도 마찬가지야.

너무 뜨거워!

과거 현재 미래

이번에는 뉴턴이 발견한 만유인력의 법칙에 대해 생각해보자.

만유인력의 법칙은 질량이 있는 모든 물질 사이에 끌어당기는 힘.

떨어지는 사과가 바로 만유인력의 증거지.

즉 인력이 있다는 것을 밝힌 위대한 물리학 원리야.

뉴턴은 질량이 있는 두 물체 사이의 중력은 각 물체의 질량의 곱에 비례하고, 두 물체의 떨어진 거리의 제곱에 반비례한다는 사실을 밝혀냈어.

여기서 m_1과 m_2은 각 물체의 질량이고, r은 두 물체 사이의 거리이며, G는 제가 식을 발표할 당시에는 알려지지 않은 상수인데 제 이름을 따서 뉴턴 상수로 불러요.

$$F_1 = F_2 = G \frac{m_1 \times m_2}{r^2}$$

값은
$$G = 6.73 \times 10^{-11} \, Nm^2 Kg^{-2}$$
이랍니다.

여기서 원인은 '질량'이고,

질량

결과는 '중력'이라고 할 수 있을 거야.

중력

중력 중력

이것으로 우리는 지구와 우리 사이에 중력이라는 힘이 작용하고,

중력

이 힘 때문에 우리가 지구에 발을 붙이고 살 수 있다는 것을 알게 되었어.

뿐만 아니라 지구와 달 사이의 중력, 지구와 태양 사이의 중력, 태양과 각 행성 사이의 중력에 대해 알게 되었지.

태양계는 태양을 중심으로 한 각 행성들 간의 중력에 의해 그 체계를 유지한다는 것을 알게 되었습니다.

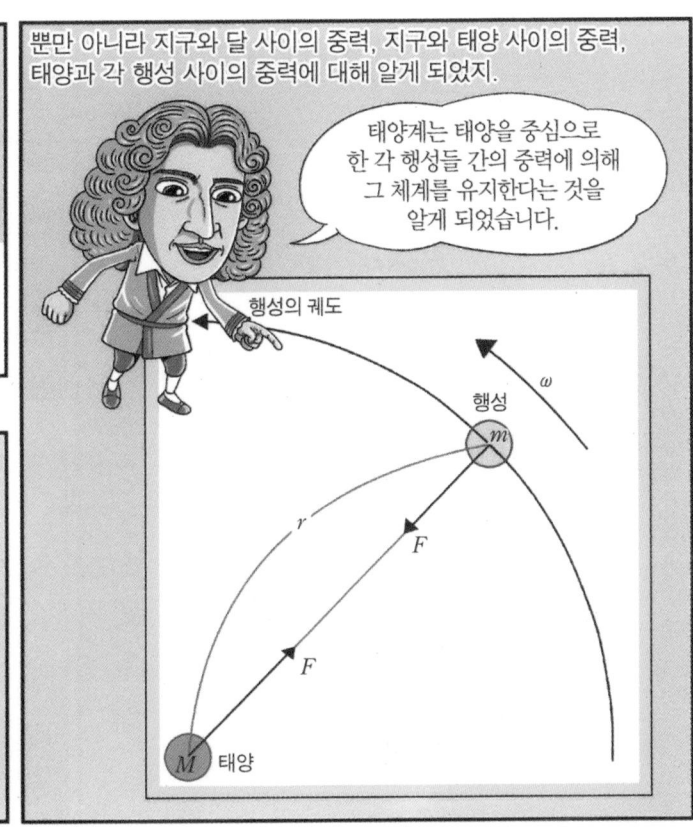

행성의 궤도

행성 m

ω

r

F

F

M 태양

이 식을 이용하면 우리 몸과 지구 사이에 작용하는 중력의 크기, 즉 몸무게까지도 정확하게 계산할 수 있어.

이런! 언제 이렇게 살이 쪘지?

뉴턴이 만유인력의 법칙을 정량적이고

기계론

만유인력 계산공식

$F=GMm/R^2$

G값

$G=6.73\times$ ... $Nm^2 kg$

이 식을 이용하면 모든 물질 사이에 작용하는 중력의 크기를 계산할 수 있어.

만유인력 계산공식

$F=GMm/R^2$

G값 $G=6.73\times$ $10^{-11} Nm^2 kg^{-2}$

물질

펑

크윽!

인터넷으로 지구와 달의 질량을 찾아서 위 식에 한 번 대입해 보렴.

그럼 지구와 달 사이에 작용하는 중력의 크기를 계산할 수 있을 거야.

전자계산기가 있다면 편리하겠지?

톡톡

여기서 잠깐! 중력에 대한 과학자들의 생각은 1916년에 발표한 아인슈타인의 일반상대성이론으로 좀 달라졌어.

중력은 휘어진 시공간에서 작용합니다. 시공간을 휘어지게 하는 것은 물질의 질량이지요. 질량이 클수록 시공간은 많이 휘어집니다.

질량에 의해 시공간이 휘어진다는 사실을 어떻게 증명할 수 있지요?

그것은 빛이 휘어지는 것을 관측하면 증명할 수 있어요.

시공간이 휘어진 곳에서는 빛도 휘어질 테니까요.

정말 빛이 휘어질까요? 학교에서는 빛이 직진한다고 배웠는걸요.

제 생각은 틀림없습니다. 하하하.

아인슈타인의 예언은 맞았어.

그의 말대로 태양 주위를 지나는 별 빛이 휘어지는 현상을 1919년에 관측했어.

영국의 과학자 아서 에딩턴이 일식 때 찍은 사진에 나타난 별들은 태양이 없는 밤에 찍은 사진보다 태양으로부터 멀어져 있다는 것을 발견한 거야.

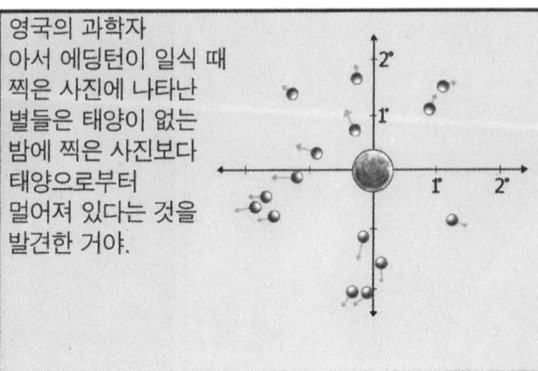

베르그송은 과학자들이 우주에 대해 물리적 질서를 토대로 설명하는 것을 마땅치 않게 여겼어.

앞에서 예를 든 것처럼 물리적 세계의 특수한 법칙들로 이 세상을 설명하는 것은 부정적인 경향입니다.

물리 법칙들은 각각 따로 보면 어느 것도 객관적 실재성을 갖지 않습니다.

뉴턴의 만유인력 법칙도 나중에 아인슈타인의 상대성이론으로 수정되는 것처럼 말이지요.

상대성이론   만유인력

그것은 사물을 일정한 각도에서 고찰하고, 일정한 변수들을 고립시키고, 일정한 측정 단위를 규약에 따라 적용하는 과학자의 연구 결과일 뿐입니다.

저 사람은 과학자들을 너무 무시하는 것 같아!

science

맞아!

하지만 물질 법칙들은 각각의 물리적인 현상을 설명을 하는 데 어느 정도까지는 잘 들어맞는 수학적인 방법을 포함하고 있어.

내가 너의 정체성을 밝혀 주지.

science   물질   수학

이 질서는 과학이 진보함에 따라 점점 물질에 가까워지는 객관적인 질서라고 할 수 있어.

좀 더 가까이~.

science

물론 수학적인 형식을 띤 물리 법칙들이 물질 현상을 완벽하게 설명할 수 있는 것은 아니야.

아직은 아니야.

ce

그렇게 하기 위해서는 물질이 순수 공간에 있어야 하고 지속에서 빠져나와야 하기 때문이야.

우리가 함께하기 위해선 이곳부터 벗어나야 해!

sc

과학자들이 흔히 하는 '측정'이라는 것은 아주 인간적인 조작이라고 할 수 있어.

어디 측정 좀 해 볼까?

그러나 자연은 이와 같은 인간적인 조작을 원치 않아.

NO!

그러지 말고 협조 좀 하지.

자연은 측정하지도 않으며 계산하지도 않거든.

싫어. 측정따윈 가지고 사라져.

크윽!

자연의 밑바닥에는 수학적 법칙들로 정의된 어떤 체계도 없어.

너도 사라져 줘.

크윽!

생명적 질서는 물리적 질서와 대립해.

생명적 질서가 의지를 포함한 질서라면,

의지

물리적 질서는 타성적인 질서이며 자동적인 질서라고 할 수 있지.

타성

사람들은 천문학적 현상들이 놀라운 질서를 나타낸다고 말하는데 그 말은 그 현상들이 수학적으로 예측할 수 있다는 것을 의미해.

저는 뉴턴의 과학으로 저 혜성이 앞으로 76년 후에 지구를 방문할 것이라고 예측합니다.

여기서 말하는 놀라운 질서란 물리적 질서야.

물질

사람들은 또한 베토벤의 교향곡에서도 마찬가지로 놀라운 질서를 발견해.

지금 베토벤이 귀가 들리지 않는다면서?

그런데 어떻게 저렇게 아름다운 곡을 만들었지?

정말 음악의 천재야!

그것은 천재성이자 독창성이며 결과적으로 불가예측성 자체야.

천재성

독창성

불가 예측성

이것은 생명적 질서에 가깝지.

생명적 질서가 형식을 띠는 것은 예외적인 경우야.

우리가 생명의 진화 전체를 고찰한다면 그 운동의 자발성과,

그 진행 과정이 정말 예측 불가능하다는 것을 깨달을 수 있어.

윽!

쿵

하지만 우리가 일상적인 생활에서 보는 것들은 이미 형태가 결정된 생명체들이야.

이들은 생명이 만든 독특한 형태들이라고 할 수 있는데,

오랜 세월 이미 정해진 형태들을 반복하고 있어.

어머! 어떻게 제 어미와 이렇게 닮을 수가 있을까? 똑같이 생겼네. 호호호.

수많은 생명체들을 형태가 비슷한 것끼리 묶어 유형으로 나눌 수 있어.

어류　파충류　조류　포유류

물질들도 같은 종류끼리 묶어 분류할 수 있는데, 이것은 생명체들이 여러 유형으로 나뉜 것을 보고 흉내낸 것으로 생각할 수 있어.

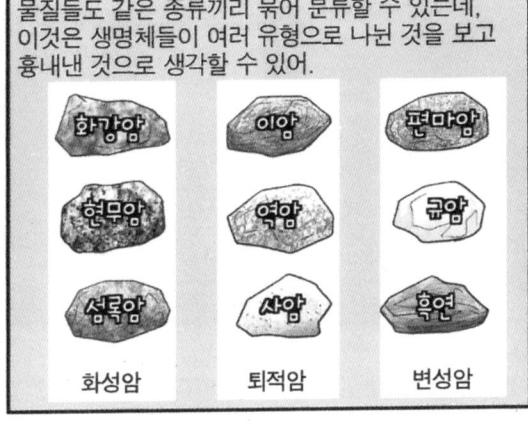

화강암　이암　편마암
현무암　역암　규암
섬록암　사암　흑연

화성암　퇴적암　변성암

그러므로 수많은 생명체에 주어진 생명적 질서는 물리적 질서와 같은 특징을 나타낸다고 할 수 있어.

그리고 보니 너희 둘 공통점이 많구나!

설마 그럴 리가….

일상에서 경험한 생명적 질서나 물리적 질서를 일반화시켜서 차이가 없게 만드는 것 같아.

일반화하기 좋잖아! 보기도 편하고.

우릴 이상하게 만들어 버렸잖아!

생명적 질서와 물리적 질서는 기원이 다르고

이건 아니지.

심지어 정반대로 나아가고 있는데 말이야.

다시 각자의 길을 가자고.

물리적 질서는 동일한 구성 성분들로 동일한 결과물을 낳도록 하는 기하학적 필연성을 기초로 삼는 것 같아.

그리고 생명적 질서는 복잡한 요인들에 무언가가 개입하여 같은 결과를 낳도록 하지.

여기서 '무언가'는 바로 생명적 약동입니다.

생명적 질서에서 후손이 조상의 유형을 재생하는 것만 보더라도 잘 알 수 있어.

할머니 말이 자신과 닮은 어미 말을 낳고

어미 말은 또 자신을 닮은 딸 말을 낳고

그 딸도 또 자신을 닮은 말을 낳고 계속 그렇게 생명은 후손을 이어간다.

이것은 물리적 질서에서 힘들의 동일한 합성이 동일한 결과를 낳는 일을 반복하는 것과는 아주 다른 거야.

같은 조건이라면 항상 같은 결과를 가져오지.

명중이오!

이건 아니지.

생명체의 발생에 협력하는 다양한 요인들을 생각해 보자.

그 요인들 중 한 가지라도 없거나,

뉴런이 보이질 않네.

또는 요인들이 정확하게 적용되지 않으면 아무 일도 제대로 진행하지 않아.

이러다간 생명체가 죽을 수도 있겠어.

이런 것을 보면 생명적 원리(엘랑 비탈)는 용의주도한 감독이 되어 작은 노동자(세포)들로 이루어진 군대(생명체)를 감시하고 있다는 것을 알 수 있어.

산소가 필요해. 적혈구는 빨리게 산소를 옮겨라!

신경세포는 곳곳에 현재 상황을 알려라.

적이 침입했다. 백혈구는 적을 퇴치해라.

상피세포는 또 다른 적이 들어오지 못하게 방어벽을 구축하라.

생명적 원리는 매순간 일어나는 오류들을 수선하고,

혈액이 새고 있어. 혈소판은 상처를 막아라!

부주의의 결과를 수정하여 사물을 제자리에 다시 위치시키고 있어.

좋았어. 혈액이 응고되고 있어.

사람들은 물리적 질서와 생명적 질서의 차이를 이렇게 생각하는 것 같아.

물리적 질서는 동일한 원인들의 결합이 동일한 결과를 낳는 것으로 생각합니다.

생명적 질서는 원인들이 유동적일 때라도 결과의 안정성을 보장하지요.

물론 이것도 역시 겉으로 보는 모습일 뿐이야.

설마 우리가 틀렸다고?

물리화학적인 방법으로 생명체를 분석하여 생명체 발생의 원인과 요소를 발견하기도 하기 때문이지.

내가 널 좀 살펴볼게.

하지만 그것은 매우 제한적이야.

그런 식으로 날 제대로 알 수 있겠어?

생명 현상들이나 생명체 창조의 과정을 분석해 보면 무한한 진보가 있다는 사실을 알 수 있지만,

이를 알아낸 물리화학적 분석은 정신이 바라보는 하나의 방식에 불과해.

음, 정리가 잘됐군.

사람들은 비슷한 상황들을 편안하게 여겨. 그래서 어떤 일이든 일반화시키는 데 익숙하지.

싫어! 싫다고.

이 때문에 생명적 질서와 물리적 질서를 섞어서 보려고 하는 거야.

가만히 좀 있어.

힝~

생명적 질서와 물리적 질서는 내적으로 아주 다른 것인데도 말이야.

제발…

우릴 일반화시키지 말아줘~.

오랜 세월 과학자나 철학자들은 생명과 물질을 동시에 설명하기 위해 노력했고,

원리를 찾아야 해.

그것을 자연의 일반적 질서라는 관념 안에서 종합적으로 이해하려 했던 거야.

이 셋, 뭔가 찾을 수 있을 것 같아.

물리적 질서 안에서 법칙들을 발견하고 그것을 수식으로 표현하는 습관과

찾았다.

생명적 질서 안에서 생명체들을 비슷한 특성을 가진 것들로 분류하는 습관도 여기서 나온 거야.

계통수를 통해 원리를 찾을 수 있을 것 같아.

한때 물리 법칙들의 일반성과 생명체 분류의 일반성은 같은 말로 지칭되기도 했어.

또한 물리적 질서와 생명적 질서는 하나로 혼동되어 왔어.

생명체도 결국 물질 중 하나지.

라 메트리(Julien Offray de La Mettire)의 《인간기계론》(1747)에서는 인간을 기계로 생각하기도 했지.

우리 인간은 태엽을 스스로 감는 기계에 불과합니다.

이러한 혼동은 본질적으로 창조에 속하는 생명적 질서가 겉으로는 다양한 모양을 하고 나타나기 때문에 일어난 일이야.

대다수의 사람들은 날 인식하지 못해.

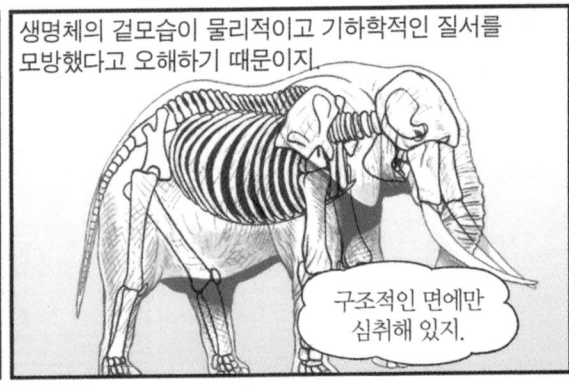
생명체의 겉모습이 물리적이고 기하학적인 질서를 모방했다고 오해하기 때문이지.

구조적인 면에만 심취해 있지.

생명을 전체적으로 조망하면 생명은 일관된 진화를 하며 끊임없이 형태를 변화시킨다는 것을 알 수 있어.

난 생명체라는 매개를 통해서만 내 자신을 알릴 수 있어.

생명은 생명체를 통해서 진화하는 모습을 보여 줄 수 있습니다.

새로운 종류의 생명체가 나오고 이들이 자연에 적응하고 번성하기 위해서는

수천, 수만의 유사한 형태들이 시간과 공간 속에서 반복되어야 해.

이것은 마치 책이 계속 새로운 판을 거듭하여 개작되는 것과 비슷해.

하지만 책을 개정하여 출판하는 것과 생명체의 진화는 차이가 좀 있어.

계속 나오는 판은 동일하고, 같은 판에서 동시에 나온 책들도 동일하지만

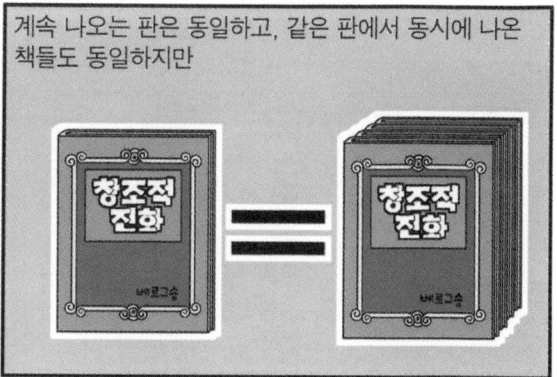

생명체의 경우에는 같은 종이라도 살고 있는 곳과 시간에 따라 조금씩 다르다는 거야.

갈라파고스 섬의 핀치 새를 보면 먹이의 상태에 따라 각각 다른 형태의 부리를 가지고 있어.

유전은 단지 형질만을 후손에게 전달하는 것이 아니야.

유전은 형질들을 변형시키는 생명적 약동(엘랑 비탈)도 동시에 전달해.

나야말로 생명성 자체라고 할 수 있지.

이 장을 시작할 때, 우리가 사는 세상은 물리적 질서와 생명적 질서 두 가지로 되어 있다고 했지?

이것은 동전의 양면과도 같은 거야.

한쪽을 보면 우주는 물리적 질서에 의해 기계적으로 작동하지만

또 다른 쪽을 보면 우주는 살아 있는 생명체처럼 움직인다고 할 수 있거든.

우주를 이루는 이 체계들은 절대적으로 서로 독립적이 아니야.

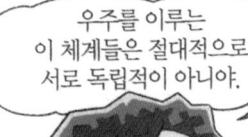

잘 알다시피 우주는 우리의 태양계와 같은 수많은 천체들이 모여서 이루어진 거야.

태양에서 나온 열과 빛은 가장 멀리 있는 행성인 해왕성 너머 먼 곳까지 복사되고,

태양에서 온 열과 빛은 지구의 생명체들을 살아가게 하지.

또한 각 행성은 태양과 서로 중력으로 묶여 일정한 궤도를 그리며 운동하고 있어.

그러므로 태양과 태양계를 이루는 행성들과 그리고 그 행성 중의 하나에 사는 우리는 생명체를 이루는 세포들처럼 서로 밀접한 관계를 맺고 있는 거야.

우리는 물리적 질서를 토대로 이 우주를 각각 떼 내어 분석하고 이해하지만 그건 발전적인 방법이 아니야.

태양계 전체 질량 중 태양이 99.386%나 차지하다니 놀라운데.

그렇게 분석한다고 해서 진짜 우주를 알 수 있을까?

왜냐하면 우주는 완성된 것이 아니라 생명체처럼 끊임없이 만들어져 가는 중이기 때문이야.

오늘도 우주 어디선가 많은 별들이 생겨나기도 사라지기도 했겠지.

우주는 아마도 새로운 세계들이 첨가되면서 무한히 증대할 거야.

마치 살아 있는 생명체처럼 말이야.

우리가 보는 물질의 모습은 낙하하는 물질의 무거움과 같은 느낌을 줘.

물질은 우리에게 위로 올라가는 가벼움의 느낌을 주지는 않아.

그것은 생명이 주는 겁니다.

생명은 사면을 따라 구르는 물질을 다시 위로 거슬러 올리려는 노력이라고 할 수 있어.

걱정하지 마. 내가 다시 올려 줄게.

꽤 무거울 텐데.

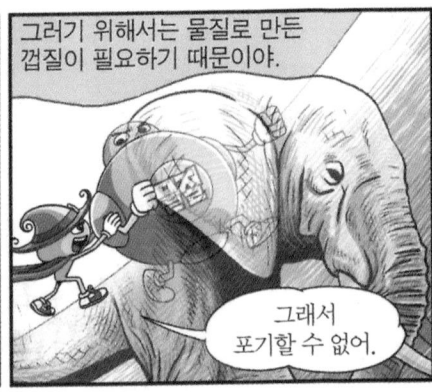

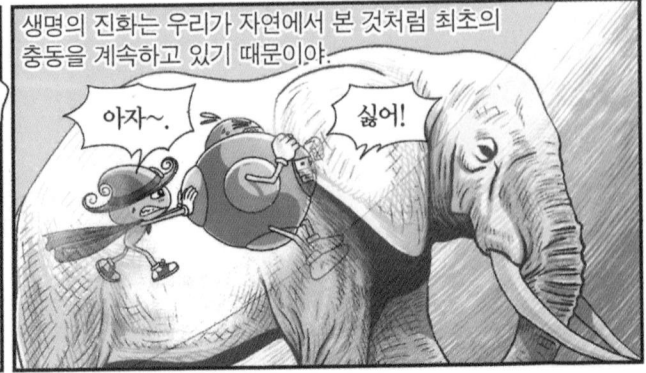

이 충동은 식물에서 엽록소가 광합성을 하게 했고,

> 이산화탄소를 흡수하고 빛을 에너지 삼아 광합성을 하도록 해.

> 알았어. 알았다고.

동물에서는 감각-운동적 체계를 발달시켜 효율적으로 움직이게 했어.

> 동물은 지성과 본능을 적절히 활용해야 할 거야.

ELAN VITAL

> 넌 정말 날 귀찮게 하는구나.

> 높은 압력의 수증기가 가득 차 있는 그릇을 생각해 보자.

그릇의 내벽에는 여기저기 균열이 있어서 수증기가 새어나와.

> 푸시
> 푸시식

밖으로 샌 수증기는 차가운 공기를 만나 대부분 물방울로 응결되어 땅으로 떨어져.

> 수증기는 아주 가벼워.

> 하지만 열을 빼앗으면 수증기는 다시 물방울이 되어 버리지.

> 푸시식

> 결국 떨어지고 말아.

수증기가 물방울이 되고 떨어지는 것은 일종의 손실이며 중단이고 또한 결핍이라고 할 수 있어.

하지만 분출되는 수증기 중의 일부는 짧은 시간이지만 물방울이 아니라 수증기 상태로 있어.

이 수증기는 떨어지는 물방울을 들어 올리려고 노력해.

안 돼. 떨어지면 안 돼.

그러나 기껏해야 물방울의 낙하를 늦추는 데 그치고 말아.

이런 나도 물방울이 되어 버렸네.

이와 마찬가지로 거대한 생명의 저장고에서는 끊임없이 분출이 일어나고 있어.

저장고에서 분출된 것들은 밖으로 나와 떨어지면서 저마다 하나의 세계를 이뤄.

각각 세계에서는 생명체들이 처음 생명의 저장고에서 나오면서 공유했던 최초의 진화 방향을 공유하고 있어.

그 방향은 물질성과 반대되는 방향이야.

그리고 이 두 운동은 단순해.

세계를 구성하는 물질은 흐름을 타고 있어. 그래서 나눌 수가 없어.

난 지금이 좋아.

물질을 관통하면서 다양한 생명체들을 만드는 생명 역시 마찬가지야.

이 두 흐름에서 생명은 물질은 서로 갈등을 일으켜.

무슨 소리야. 우린 계속 나아가야 해.

그럼에도 불구하고 물질은 생명으로부터, 생명은 물질로부터 무언가를 얻고 있어.

내가 조금 양보할 테니 너도 조금 양보해 줘.

여기서 두 흐름 사이에 타협안이 생기는데 그것이 바로 생명체야.

생명체는 세대를 관통하면서 종과 종 사이를 연결해 줘.

우린 서로 다른 듯하면서 같아.

이미 만들어진 것만을 파악하는 지성의 눈이 아니라 정신의 눈으로 이 세상과 우주를 바라보면,

생명적 질서 안에서 모든 것이 다시 운동하고 또한 운동으로 용해되는 것을 알게 될 거야.

그러면 우리는 물질성에서 벗어나 생명적 질서를 향해 갈 수 있어.

이것이 바로 생명적 약동의 목적이야.

다원의 진화론

찰스 다원

찰스 다원은 1809년 2월에 영국의 서부 지방에서 태어났습니다. 그의 할아버지는 에라스무스 다원으로 일찍이 진화론을 주장했던 의사였으며 그의 어머니는 오늘날에도 유명한 영국의 도자기 제조 회사를 가진 부자의 딸이었습니다.

1831년 다원의 나이 22살 때 그에게 일생일대의 큰 변화가 있었습니다. 헨슬로 교수가 그에게 남미와 서인도 제도를 탐사하는 해군 측량선 비글호에 타기를 제안했던 것입니다. 다원은 아버지의 반대에도 불구하고 비글호를 탔고 그 후 5년에 걸친 탐사 여행을 했습니다. 그는 비글호의 박물학자로서 갈라파고스 군도를 비롯한 여러 섬의 생물과 지질을 관찰하고 탐사하여 진화론의 기초를 확립했습니다. 그는 비글호 여행에서 돌아와 종의 기원이라는 책을 출간했고, 그의 진화론은 물리학에서의 뉴턴 역학과 더불어 유럽 사회에 사상의 대혁신을 가져왔습니다. 그로 인해 분류학에 그쳤던 생물학이 제대로 된 과학으로 자리매김을 할 수 있었습니다. 다원은 수많은 종교인들의 비난에 맞서서 외로운 길을 갔습니다. 그러면서도 그는 "세상 사람들이 진화론을 알아주려면 생물이 진화한 것만큼이나 오랜 세월이 필요할 것이다."라는 말을 하며 사람들의 생각이 바뀔 때를 기다렸습니다.

갈라파고스 제도와 '자연 선택설'

갈라파고스 제도(Galapagos Archipelago)는 적도를 끼고 서경 89°와 92°사이에 있는 섬들입니다. 남아메리카 대륙에서 965 km 떨어져 있고 에콰도르 영토입니다. 갈라파고스라는 이름은 갈라파고스 제도에 사는 큰 거북을 뜻하는 스페인 말입니다. 스페인 항해자들이 16세기에 처음 섬을 찾았을 때 큰 거북이 많은 것을 보고 부른 이름이라고 합니다.

다원은 갈라파고스의 여러 섬들에서 한 달 이상을 머물면서 그곳에 사는 동물과 식물로부터 새로운 사실을 알았습니다. 특히 다원은 멧새와 비슷하게 생긴 새(다른 곳에서는 서식하지 않고, 갈라파고스 섬도에만 있고, 오늘날에는 다원 핀치라고 부릅니다)에 대해 큰 관심을 가졌습니다. 다원 핀치는 갈라파고스 군도에서 14종류가 발견되었는데 발견되는 섬에 따라 부리 모양이 달랐습니다. 예를 들면 A 섬의 핀치는 식물의 씨를 먹으므로 부리가 굵었다면, B 섬의 핀치는 곤충을 먹기 때문에 부리

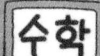

수학

가 가늘었습니다. 다윈은 핀치들의 부리가 다른 것은 각 섬에 흩어져 살면서 점차 환경에 적응하기 위해 서서히 변했기 때문이라고 결론을 내렸습니다. 다윈은 이로부터 진화론의 기초가 되는 '자연 선택설'의 개념을 가지게 되었습니다.

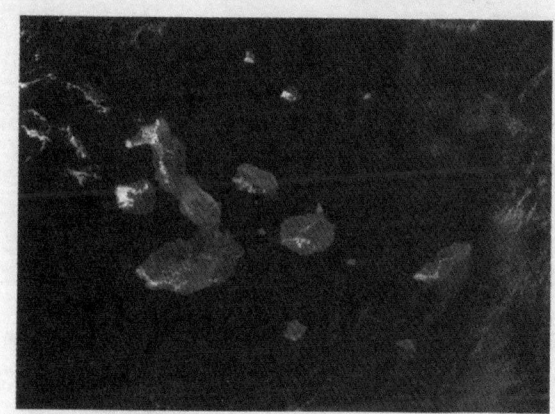
갈라파고스 제도 위성 사진

《종의 기원》의 출간

다윈은 1859년 11월 24일에 《자연 선택에 의한 종의 기원, 혹은 생존 경쟁에서 유리한 종족의 보존에 대하여》라는 책을 냈습니다. 책의 제목은 줄여서 흔히 《종의 기원》이라고 부릅니다. 다윈은 이 책에서 생물이 자연의 선택에 따라 진화하면서 지금과 같이 다양한 종으로 나뉘었다는 것을 체계적으로 증명했습니다. 종의 기원은 대단한 반응을 얻었고, 초판은 발행 당일 매진되었고, 재판도 수천 권이 팔렸습니다. 《종의 기원》은 총 15장으로 구성되었습니다. 책의 3장에서 다윈은 세상의 생물들이 먹을 수 있는 식량, 마실 물, 살 수 있는 장소 등은 한정되어 있으므로 생물들은 살아남기 위해 자원을 두고 경쟁해야만 한다고 했고 이것을 생존 경쟁이라고 했습니다. 그리고 이것은 피할 수 없는 자연의 원리이며 생존 경쟁에서 살아남은 생물들만 자손을 퍼뜨려 번성할 수 있고, 그 과정에서 진화가 일어난다고 했습니다. 다윈은 세상의 수많은 생물은 신이 만든 것이 아니라 자연이 선택한 결과라는 것을 증명하고자 했습니다. 《종의 기원》은 사람들이 과학적인 눈으로 자연과 생명을 바라보게 하는 중요한 역할을 했습니다.

11장 생명 진화의 승리자

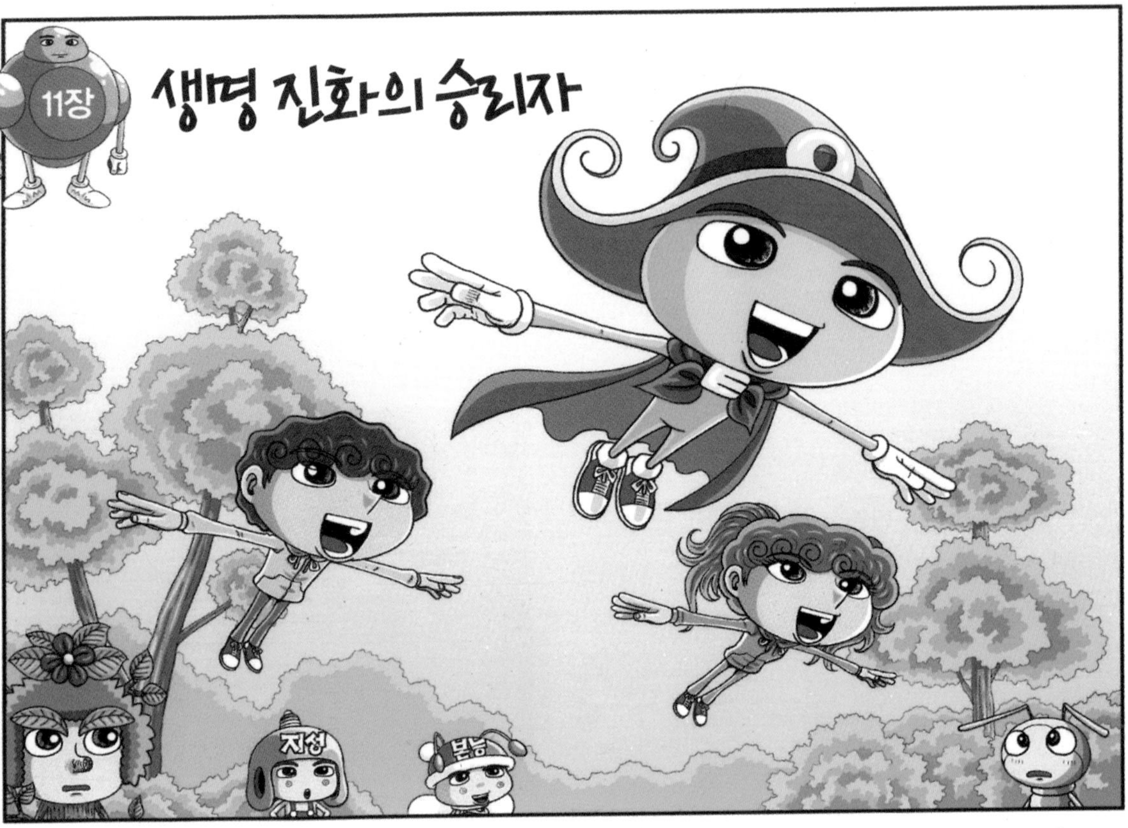

생명적 약동(엘랑 비탈)이 있기 때문에 창조적 진화가 가능해.

그렇지만 생명적 약동은 자기 혼자서 창조적 진화를 할 수 없어.

늘 자신과 반대편에 있는 물질을 만나야 하기 때문이야.

물, 물질이다!

내 허락 없이는 한 발짝도 앞으로 나아갈 수 없을 것이다.

생명적 약동은 물질을 잘 다스려서 그 안에 될 수 있는 한 많은 양의 비결정성과 자유로움을 불어넣으려고 해.

내가 잘해 줄게. 우리 친하게 지내~.

그럼 한번 친하게 지내 볼까?

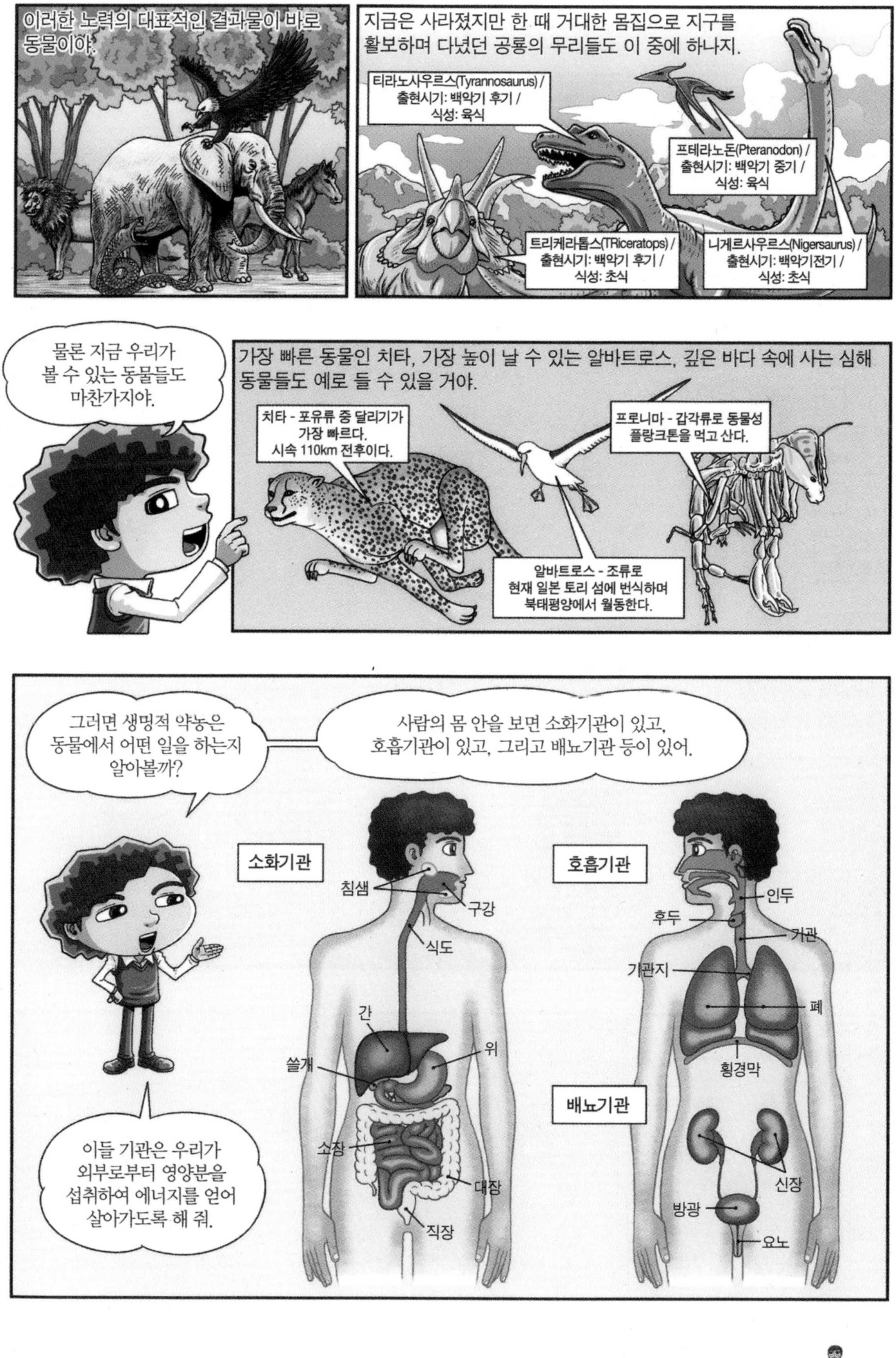

이러한 노력의 대표적인 결과물이 바로 동물이야.

지금은 사라졌지만 한 때 거대한 몸집으로 지구를 활보하며 다녔던 공룡의 무리들도 이 중에 하나지.

티라노사우르스(Tyrannosaurus) / 출현시기: 백악기 후기 / 식성: 육식

프테라노돈(Pteranodon) / 출현시기: 백악기 중기 / 식성: 육식

트리케라톱스(TRiceratops) / 출현시기: 백악기 후기 / 식성: 초식

니게르사우르스(Nigersaurus) / 출현시기: 백악기전기 / 식성: 초식

물론 지금 우리가 볼 수 있는 동물들도 마찬가지야.

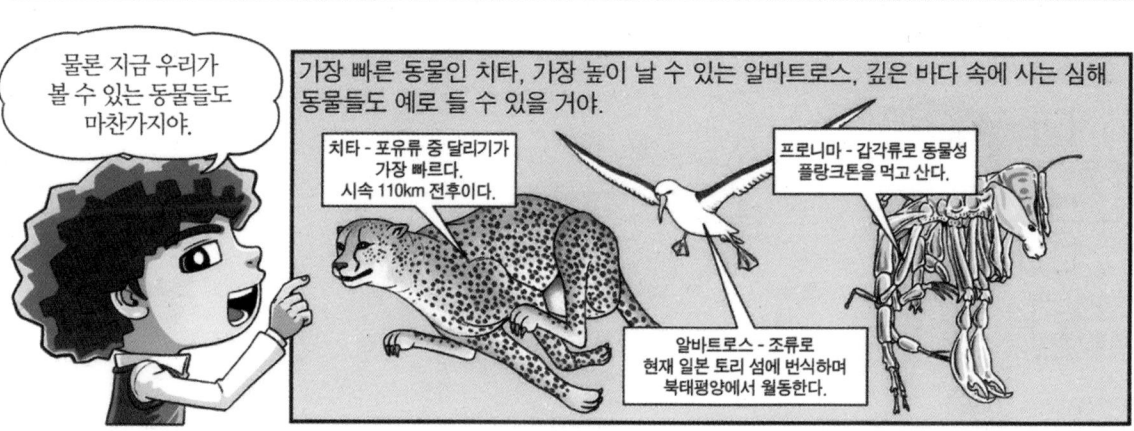

가장 빠른 동물인 치타, 가장 높이 날 수 있는 알바트로스, 깊은 바다 속에 사는 심해 동물들도 예로 들 수 있을 거야.

치타 - 포유류 중 달리기가 가장 빠르다. 시속 110km 전후이다.

프로니마 - 갑각류로 동물성 플랑크톤을 먹고 산다.

알바트로스 - 조류로 현재 일본 토리 섬에 번식하며 북태평양에서 월동한다.

그러면 생명적 약농은 동물에서 어떤 일을 하는지 알아볼까?

사람의 몸 안을 보면 소화기관이 있고, 호흡기관이 있고, 그리고 배뇨기관 등이 있어.

이들 기관은 우리가 외부로부터 영양분을 섭취하여 에너지를 얻어 살아가도록 해 줘.

소화기관

침샘 / 구강 / 식도 / 간 / 쓸개 / 위 / 소장 / 대장 / 직장

호흡기관

인두 / 후두 / 기관 / 기관지 / 폐 / 횡경막

배뇨기관

신장 / 방광 / 요노

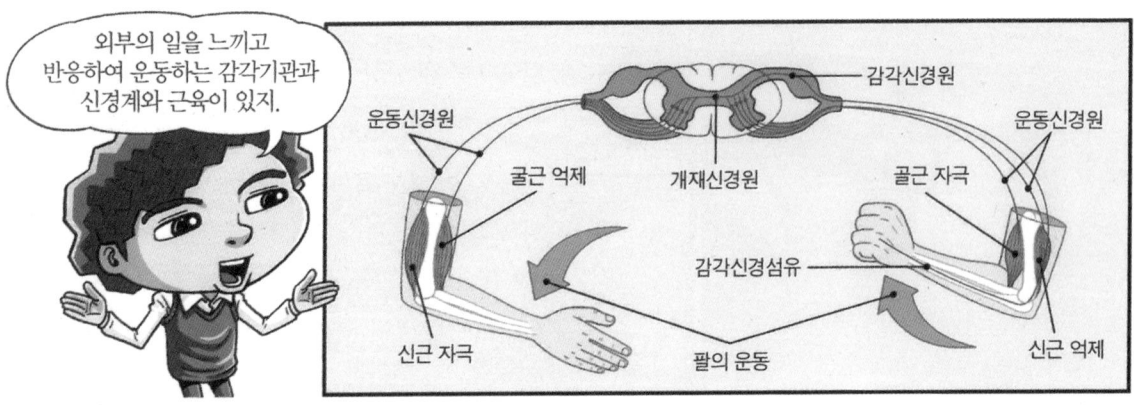

외부의 일을 느끼고 반응하여 운동하는 감각기관과 신경계와 근육이 있지.

운동신경원 / 감각신경원 / 운동신경원
굴근 억제 / 개재신경원 / 골근 자극
감각신경섬유
신근 자극 / 팔의 운동 / 신근 억제

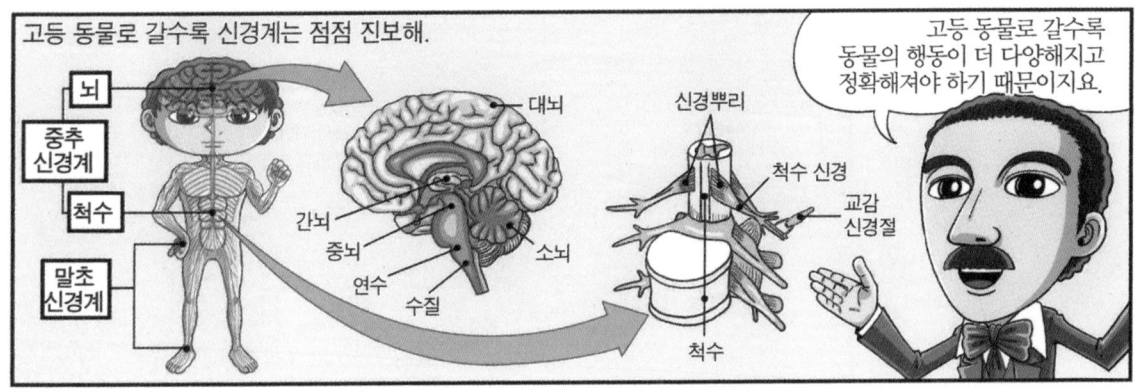

고등 동물로 갈수록 신경계는 점점 진보해.

고등 동물로 갈수록 동물의 행동이 더 다양해지고 정확해져야 하기 때문이지요.

뇌
중추 신경계
척수
말초 신경계

대뇌
간뇌
중뇌
연수
수질
소뇌

신경뿌리
척수 신경
교감 신경절
척수

대부분의 동물은 두 가지 일은 꼭 하는데, 하나는 몸 안에 에너지를 비축하는 일이고,

에너지 비축을 위해 음식물을 먹어야해.

다른 하나는 이 에너지를 소비하는 일이야.

에너지 소비는 기초 대사와 운동량에 따라 달라져.

헉 / 헉 / 헉

에너지는 음식물에서 나온 영양분으로 만들어

4kcal
탄수화물

3대 영양소 1g당 에너지

4kcal
단백질

9kcal
지방

영양분은 일종의 폭발물에 비유할 수 있을 거야.

스스로 축적한 에너지를 발산하기 위해 불똥을 기다리고 있는 셈이지.

익 / 서 / 아자~.

이러한 폭발물, 즉 영양분은 어디에서 나오는 것일까?

물론 영양분은 어떤 동물의 살에서 섭취할 수도 있어.

연어는 정말 맛있어.

그러나 모든 영양분의 시작은 식물이라고 할 수 있어. 식물은 물과 이산화탄소를 원료로 태양 복사에너지를 이용해서 광합성을 하고, 그 결과 녹말(포도당)을 생산하지.

CO_2
H_2O
O_2

태양에너지
광합성
호흡
호흡
호흡
유기물
섭취

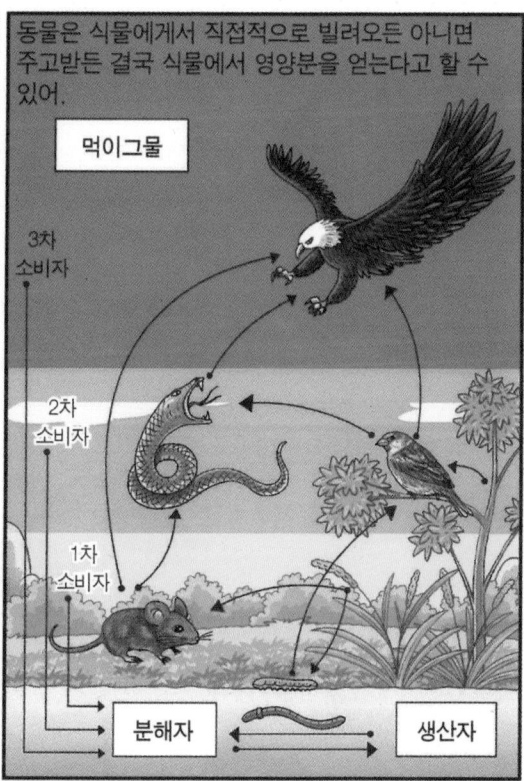

동물은 식물에게서 직접적으로 빌려오든 아니면 주고받든 결국 식물에서 영양분을 얻는다고 할 수 있어.

먹이그물

3차 소비자
2차 소비자
1차 소비자

분해자
생산자

동물이든 식물이든 지구에 사는 모든 생명체는 에너지를 축적하고, 축적한 에너지를 유연하고 변형이 가능한 관(쑁 - 케이블)에 풀어놓기 위해 노력을 해.

다양한 종류의 관 끝에서 생명적 약동은 매우 많은 일을 해.

생명적 약동은 물질 안으로 들어가 에너지를 얻고 그 에너지로 물질에 자유로움을 심으려고 했어.

이것이 바로 생명적 약동이 최종적으로 추구하는 목적이기 때문이야.

만약에 생명적 약동의 힘이 무한하거나,

외부의 도움이 있었다면 그 일을 성공적으로 수행했을 지도 몰라.

내가 도와줄게.

하지만 생명적 약동의 힘에는 한계가 있고,

귀찮아. 저리 치워!

헉!

처음에 단 한 번 주어졌을 뿐이야.

생명적 약동은 모든 장애물을 넘을 수는 없어.

생명적 약동의 힘은 빛나가기도 하고 분열되기도 했어.

바보.

언제나 물질의 방해를 받았지.

가져가.

윽!

하지만 생명적 약동은 끊임없이 물질에 도전하고 대립하고 싸웠어.

이리 와!

싫은데.

그 과정에서 생명체가 탄생하고 진화할 수 있었던 거야.

비결정성

논리

생명체의 진화는 생명적 약동과 이에 저항하는 물질과의 투쟁 결과라고 할 수 있어.

가장 대표적인 투쟁과 분열은 식물계와 동물계의 분기라고 할 수 있어.

식물계

동물계

식물은 에너지를 축적하는 방향으로 서서히 진화했고,

O₂

동물은 식물이 축적한 에너지를 사용하는 방향으로 진화했지.

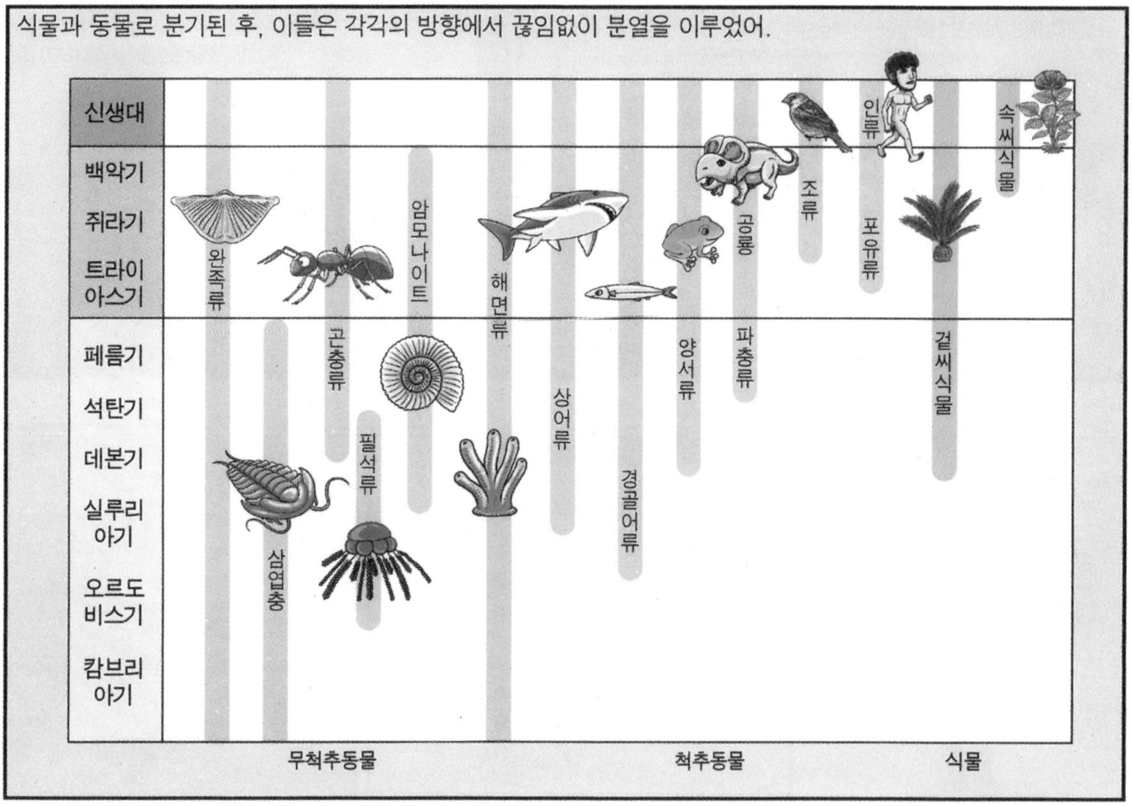

식물과 동물로 분기된 후, 이들은 각각의 방향에서 끊임없이 분열을 이루었어.

	무척추동물					척추동물					식물	
신생대								조류	인류			속씨식물
백악기						공룡						
쥐라기	완족류		암모나이트	해면류					포유류			
트라이아스기						양서류	파충류					
페름기		곤충류			상어류						겉씨식물	
석탄기			필석류									
데본기					경골어류							
실루리아기	삼엽충											
오르도비스기												
캄브리아기												

지구에 사는 수많은 생명체들은 늘 자신만을 생각하며 자신만을 위해 살아가.

그래서 지구의 자연계에서는 끊임없는 투쟁의 드라마가 연출되고 있어.

크앙

크앙

잡아먹으려는 자,

잡아먹히는 자,

잡아먹히지 않으려고 필사적으로 도망치는 자 등등

그 속을 들여다보면 끔찍하고 충격적인 일들이 매순간 일어나고 있어.

어떻게!

어허….

아이 잔인해!

나무아미타불!

우리는 자연의 부조화에 충격을 받기도 해.

그러나 이런 일의 책임을 생명 원리에 돌려서는 안 돼.

다 너 때문이야!

생명체의 진화 과정에는 우발적인 요소가 아주 많기 때문이야.

미안해. 하지만 나도 어쩔 수 없는 게 많아.

생명체 탄생 초기의 원초적 경향은 진화가 계속되는 과정에서 다양한 경향들로 분리되었고,

예기치 못한 다양한 진화의 분기 노선들을 우발적으로 창조했거든.

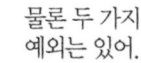
물론 두 가지 예외는 있어.

그 둘은 필연적인 일이었지. 하나는 에너지의 점진적 축적이고,

식물은 광합성을 통해 에너지를 축적하지.

다른 하나는 변화 가능하고 비결정적인 방향으로 에너지 소비 통로를 만들어서 그 끝을 자유 행위로 향하게 하는 일이었어.

동물은 다른 유기물로부터 얻은 에너지를 소비하며 활동해.

생명은 다른 행성이나 또 다른 태양계에서도 지구에서와 같은 일을 했을 수도 있어.

런던 자연사박물관과 애버딘 대학 연구팀은 화성의 분화구에서 운석 충돌 당시 지상으로 솟아 나온 암석이 물로 인해 변형된 점토와 광물질로 구성돼 있다는 것을 알게 되었고, 화성 표면에서는 기온이 낮고 방사선이 많아 생물이 살기 어렵지만 지하에는 박테리아 등 미생물이 있을 수 있다고 생각합니다.

화성 분화구 운석 충돌 흔적

생명적 도약이 사용 가능한 에너지를 포획하고,

폭발적인 행동으로 그 에너지를 소비하는 일을 목표로 한다면,

이런 일들은 얼마든지 지구 외 다른 행성에서도 일어날 수 있을 거야.

지구가 아닌 다른 행성에 무기물이 있다면 그 또한 분명 나 때문일거야.

다른 행성의 생명체가 오히려 지구의 생명체보다 더 적절한 수단을 선택했을 수도 있어.

난 모스 행성에 살고 있는 모스인 아리야.

난 모스인들의 반려동물 코로라고 해.

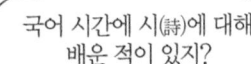

국어 시간에 시(詩)에 대해 배운 적이 있지?

선생님께서 좋은 시는 시를 이루는 각 구와 절에 이 시를 쓴 시인의 영감이 관통하고 흘러야 한다고 가르쳤을 거야.

나 보기가 역겨워 가실 때에는 말없이 고이 보내 드리오리다. 영변에 약산 진달래꽃 아름 따다 가실 길에 뿌리 오리다. 가시는 걸음걸음 놓인 그 꽃을 사뿐히 즈려밟고 가시옵소서.

생명도 마찬가지야.

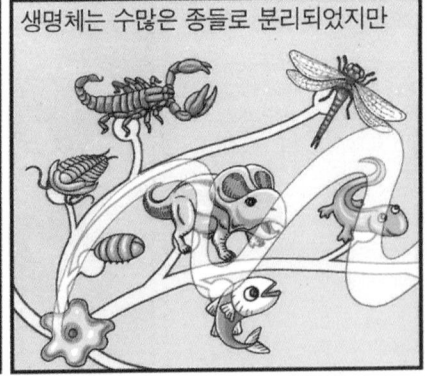

생명체는 수많은 종들로 분리되었지만

그 종들 사이에는 생명적 약동이 순환하며 흐르고 있거든.

한편, 생명은 개체화와 연합이라는 두 방향으로도 진화가 이루어져.

연합

개체   개체

생명체의 각 개체들은 자신이 속한 생명체 사회 안에서 개체로 존재하는 반면에

생명체

개체   개체

생명체 사회는 각각의 개체들을 새로운 유기체 속에 넣고 용해시키려 해.

적혈구, 산소를 운반한다.

백혈구, 적을 막도록 한다.

개체   개체

….

그러면 생명체 사회는 그 자신이 하나의 개체가 되고

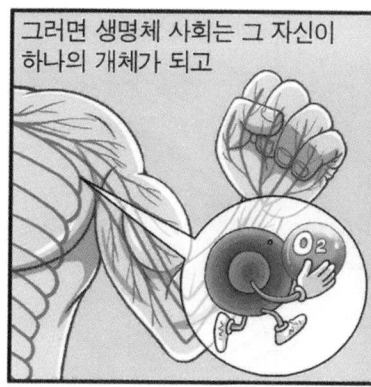

이 개체는 새로운 연합을 이루고 그 연합의 일부가 돼.

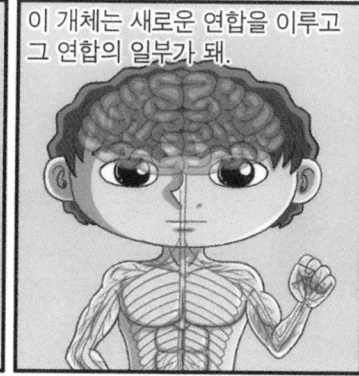

낮은 단계의 생명체를 보면 이런 연합의 모습을 쉽게 볼 수 있어.

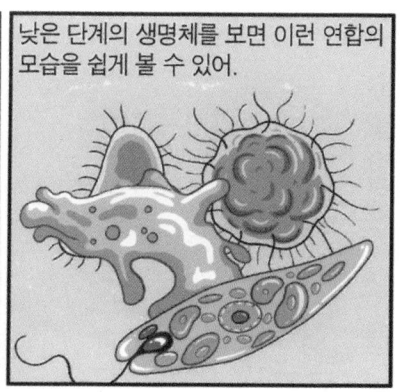

생명의 기원에 있는 것은 의식이야.

우리가 흔히 말하는 의식과 구별하기 위해 초의식(超意識)이라고 표현하는 것이 좋겠지만 그냥 이 책에서는 계속 의식이라는 단어를 쓸 거야.

지금 말하는 의식은 아주 특별해.

창조적 진화

의식

맞아. 난 특별해.

의식은 불꽃이야.

의식의 불꽃이 꺼지면 그 잔해는 물질이 되어 땅으로 떨어져.

의식은 땅으로 떨어진 물질들 속으로 다시 들어가자.

그것들을 생명체로 만들어 불꽃을 되살리고 그 안에서 살아남기도 해.

의식은 창조의 요구이므로 창조가 가능한 곳에서만 모습을 드러내.

생명이 자동성을 강요받으면 의식은 잠들게 되지.

의식은 선택의 가능성이 다시 나타나자마자 잠에서 깨어나.

아자—

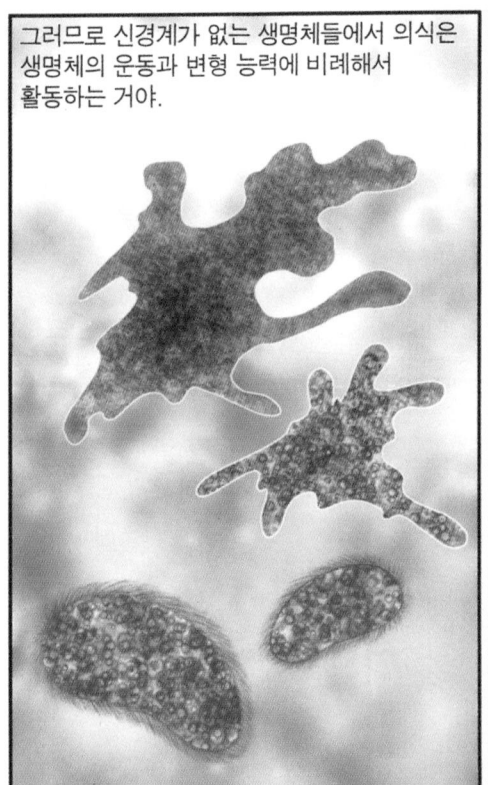

그러므로 신경계가 없는 생명체들에서 의식은 생명체의 운동과 변형 능력에 비례해서 활동하는 거야.

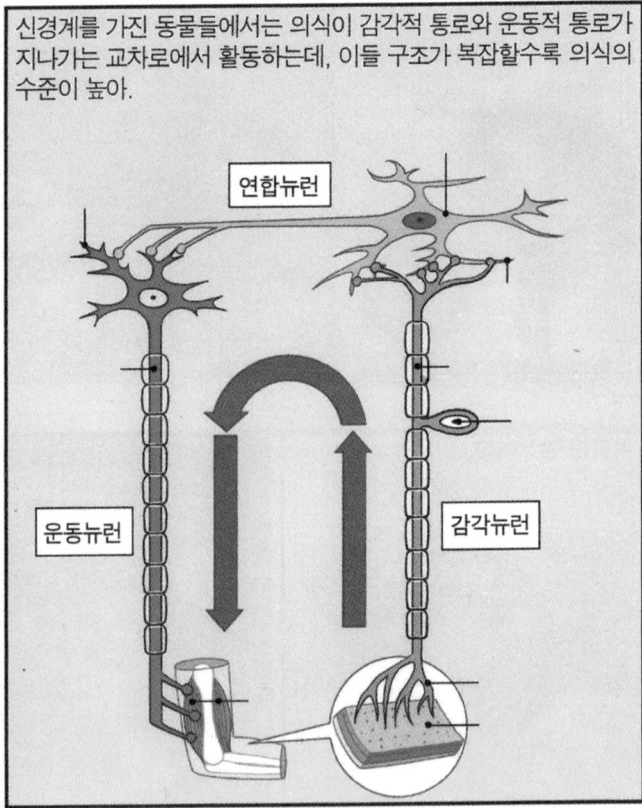

신경계를 가진 동물들에서는 의식이 감각적 통로와 운동적 통로가 지나가는 교차로에서 활동하는데, 이들 구조가 복잡할수록 의식의 수준이 높아.

연합뉴런

운동뉴런

감각뉴런

그래서 동물의 의식과 인간의 의식에는 큰 수준 차이가 있는 거야.

의식은 생명체가 자유롭게 선택하는 힘에 비례하니까.

아자—

의식은 발명과 자유의 동의어이기도 해.

동물에게 발명*은 습관적 행위의 주제 위에서 일어나는 변주곡이라고 할 수 있어.

* 베르그송이 말하는 발명이란 순수하게 새로운 것을 연속해서 만들어 내는 것을 뜻한다.

종의 습관들 속에 매몰되어 있는 동물은 행동에 선택의 여지가 별로 없어.

대부분의 행동이 자동적으로 일어나거든.

졸리면 자고,

목마르면 물을 찾고,

배고프면 사냥을 하고,

사나운 적이 나타나면 도망가!

그러므로 동물의 의식은 감옥에 갇히거나 쇠사슬에 묶인 것이나 마찬가지야.

그렇지만 인간은 달라.

인간은 감옥 문을 열고 사슬을 깨뜨렸기 때문입니다.

인간이 아닌 다른 생명체들은 의식이 도처에 있는 물질의 그물에 걸려 버렸어.

의식은 자신이 설치한 기계 장치의 포로가 되었지.

의식은 물질의 자동성을 자유의 방향으로 이끌겠다고 하였으나

자유를 찾아가야 해.

물질

자동성은 의식 주변을 맴돌다가 오히려 의식을 이끌고 갔어.

아니, 난 지금이 좋아.

의식

의식은 거기서 벗어날 힘이 없었어.

자유를 찾아야 하는데….

♪~

그러나 인간만이 물질의 그물에서 빠져 나와 자유로운 상태가 되었어.

아자—

인간은 의식을 자신이 원하는 대로 사용할 수 있었기 때문이야.

이 일이 가능한 이유는 인간의 두뇌가 다른 동물에 비해 탁월하기 때문이야.

인간의 두뇌는 인간에게 무한히 많은 종류의 운동을 할 수 있게 해 주고,

새로운 습관들을 끊임없이 과거의 습관들에 대립시키며, 자동성을 분해하여 오히려 그것을 지배하게 해 주었어.

자동성

과거

습관

현재

미래

인간이 사용하는 언어를 보면 더욱 잘 알 수 있지.

언어는 의식에 비물질적 신체를 제공하여 거기에 자신을 구현하고,

언어

의식

♪~

너를 위해 준비했어.

의식으로 하여금 물질적 신체에만 의존하지 않을 수 있게 해 주었어.

내게 특별한 힘이 생겼어.

어떤?

그러므로 언어는 인간을 나머지 동물과 구별해 주는 중요한 본성이라고 할 수 있어.

바로 이거야.

언어?

인간의 언어 사용을 보면

생명적 도약의 발판이 된 넓은 점프대 끝에서 다른 생명체들은 겁이 나서 점프대 밑으로 내려왔으나

무서워~.

인간만이 용감하게 끝까지 도전하여 점프대를 뛰어넘었다는 것을 알 수 있어.

빙

탁!

그러므로 인간은 진화의 종점이자 목적이라고 할 수 있을 거야.

진화

인간은 생명체의 다양한 노선들 중 하나의 끝에 있고,

척추동물

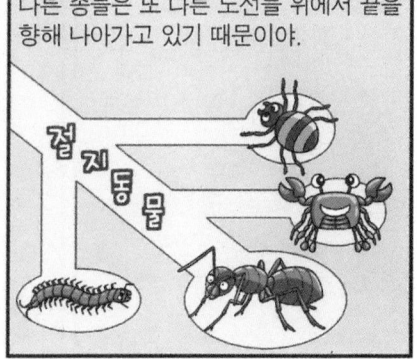

다른 종들은 또 다른 노선들 위에서 끝을 향해 나아가고 있기 때문이야.

절지동물

지금도 진화의 다른 노선들 위로 다양한 생명의 경향이 새로운 길을 개척하고 있어.

그 경향들은 또 다른 무엇으로 불릴 수 있는 존재가 되기를 스스로 바라고 있어.

인간의 의식은 지성이라는 이름으로 불리기도 해.

또한 인간의 의식은 직관일 수도 있어.

지성과 직관은 의식의 상반된 두 방향을 나타내.

직관은 생명의 방향 그 자체로 나아가고, 지성은 그 반대로 가고 있어.

완전무결한 인간은 이 두 가지를 충만하게 갖춘 상태에 있을 거야.

하지만 아쉽게도 그런 인간은 없습니다.

그런데 오늘날 인간의 직관은 지성에 희생된 상태라고 할 수 있어.

그래 그렇게 얌전하게 있어.

항복.

인간의 의식은 물질을 정복하고,

자기 자신을 재정복하느라 가지고 있던 힘을 대부분 소비했기 때문이야.

아~, 피곤해.

의식은 물질의 습관에 적응하고 자신의 모든 주의를 거기에 집중시키면서

이리 와. 물질을 정복하는 데 내 힘이 필요할 거야.

안 돼. 지금까지 내가 도와줬잖아.

결국에는 자신을 지성 쪽에 더 가까이 가도록 했어.

그래. 지성이 최고야.

배신자.

잘 생각했어.

하지만 아직 우리 인간의 의식 속에 직관은 남아 있어.

거의 꺼져 가는 불꽃이지만 몇몇 순간에는 다시 타올라,

특히 생명적 관심이 작용하는 곳에서 직관은 확실히 되살아나지.

좋아! 그렇게 얌전하게 있어.

우리의 인격과 자유,

우리가 자연 전체 안에서 차지하는 위치,

우리의 기원 그리고 우리의 운명에 대해

인간의 운명이라면….

직관은 깜박이는 약한 빛을 던질 뿐이지만

궁금해? 그럼 내 손을 잡아.

괜찮을까?

그래도 역시 그것은 지성이 우리를 버려둔 밤의 어둠 속을 뚫고 들어가고 있어.

으아아~.

그냥 믿고 따라와.

직관은 대상을 점점 멀리 비추며 사라져 가고 있어. 철학을 통해 직관을 사로잡아야 해.

잠깐 날 좀 봐.

누구?

그래서 직관을 지탱하고 그것들을 확대할 수 있도록 해야 해.

그쪽이 아니야. 내가 길을 안내할게.

다행이다. 길을 잃을 뻔 했는데.

뭐야? 그냥 믿고 따라오라더니….

철학이 이런 일을 수행할수록 직관은 정신 자체이며,

어떤 의미에서는 생명 자체임을 깨닫게 될 거야.

그러면 거기서 지성의 윤곽을 뚜렷이 살필 수 있어.

철학은 우리를 정신의 삶 속으로 인도해.

너희들에게 보여줄 곳이 있어.

동시에 철학은 우리에게 정신적 삶과 신체의 삶의 관계를 보여 주지.

정신의방 신체의방

짠~

직관의 철학이 다루는 것은 다양하게 분기된 생명체들 자체가 아니야.

직관의 철학은 생명을 이 세계(우주) 안에 던져 놓은 최초의 충동으로부터 생명 전체가 하나의 상승하는 흐름이라는 것을 보여 줘야 해.

ELAN V

또한 이 흐름은 물질의 하강하는 운동과 대립하는 것임을 알려주어야 해.

생명의 흐름은 장애물을 자기와 함께 끌고 가면서 자유롭게 통과해.

물질이라는 장애물은 그 흐름의 진행을 둔하게 할 뿐이고 결코 멈추지는 못해.

이 지점에 바로 우리 인간이 있어.

의식은 본질적으로 자유로워. 그러나 의식은 물질 위에 놓여서 물질에 적응하지 않고서는 물질을 통과할 수 없어.

이러한 의식의 물질에 대한 적응을 우리는 지성이라고 부르는 겁니다.

철학자들은 지성을 직관 안에 다시 흡수시키기 위해 많은 노력을 해야 해.

받아.

고마워.

이러한 철학자들의 노력은 우리 인류가 행동하고 살아가는 데 많은 힘을 주게 될 거야.

그렇게 되면 인류는 자신이 지배하는 자연 속에서 더 이상 고립된 것으로 여기지 않게 될 것입니다.

모든 생명체는 생명적 약동의 놀라운 추진력에 버티기도 하고 굴복하기도 해.

동물은 식물 위에서 생존하고,

인간은 동물 위에 올라타 있어.

그러므로 인간은 시간과 공간 속에서 물질이 주는 모든 저항을 넘어뜨리고, 많은 장애물, 심지어 죽음까지도 극복할 수 있는 열광적인 돌격으로 질주하는 거대한 군대라고 할 수 있어.

진화론과 창조론

논쟁의 시작: 헉슬리와 윌버포스 주교의 논쟁

《종의 기원》을 발표한 후 다윈은 여러 계층의 사람들로부터 비난을 받았습니다. 자신을 비글호에 타게 했던 핸슬로 교수조차도 다윈의 주장을 전혀 쓸모없는 것이라고 말했을 정도였으니까요.

당시 유명했던 작가였던 칼라일은 다윈이 사람과 원숭이를 친척으로 여기는 사람이라고 비아냥거렸습니다. 또한 모든 생물은 신이 창

진화론을 주장한 다윈을 비꼬는 그림

조했다고 믿는 기독교는 다윈을 '악마의 사도'라며 거세게 비난했습니다.

물론 모든 사람이 다윈을 비난하지는 않았습니다. 토머스 헉슬리와 같은 젊은 생물학자는 다윈의 생각을 옹호하여 '진리를 사랑하는 사람이라면 선생님의 생각에 반대하지는 않을 것입니다.'라는 말을 하며 다윈을 열렬히 옹호했습니다.

1860년 6월, 생물이 신에게서 창조된 것인지, 자연환경에 맞추어 진화한 것인지를 토론하기 위해 옥스퍼드 대학에서 토론회가 열렸습니다. 이때 샘 윌버포스 옥스퍼드 교회의 주교는 다윈의 책이 터무니없는 거짓말로 가득하며 다윈이 신의 성스러움을 더럽혀 욕되게 했으니

헉슬리

샘 윌버포스

큰 대가를 치러야 할 것이라고 외쳤습니다. 그러면서 다윈을 대신해 진화론을 옹호했던 헉슬리 교수에게 "헉슬리 교수, 당신은 원숭이가 사람의 조상일 수 있다고 말하는 진화론을 지지하는 분으로 알고 있는데, 그러면 그 조상은 할아버지 쪽이요, 아니면 할머니 쪽이요?"라고 놀렸습니다. 그러자 헉슬리 교수는 침착한 표정으로 "그 질문을 나에게 한 것이라면, 이렇게 진지한 과학 토론장에서 상대방을 조롱하기 위해 능력과 지위를 함부로 쓰는 사람의 후손이 되기보다는 차라리 보잘것없는 원숭이를 할아버지로 삼는 편이 낫겠습니다."라며 되받아쳤습니다.

스트로마톨라이트. 현재 발견할 수 있는 가장 오래된 생물인 남세균 화석.

헉슬리와 윌버포스 주교의 토론은 일반인들 사이에서도 알려져 열띤 논쟁을 불러 일으켰습니다. 주제는 '인간은 창조되었는가, 진화했는가?'였습니다. 다윈은 인간과 원숭이를 연결한 어떤 설명도 한 적이 없었는데 일부 언론이 이런 대중의 관심을 상업적으로 이용했기 때문에 시간이 갈수록 다윈의 진화론은 엉뚱한 방향으로 흘러갔습니다.

다윈은 이들의 주장에 대해 1871년에 《인간의 유래와 성과 관련한 선택》이라는 책을 통해 인간이 신의 모습으로 창조된 특별한 존재가 아니라 자연의 일부이며, 아주 오랜 옛날부터 진화를 거듭하여 오늘날의 모습에 이르게 되었다는 생각을 밝혔습니다. 하지만 다윈의 생각은 거센 반발을 일으켰고 오늘날까지 진화론과 창조론은 뜨거운 논쟁을 이어오고 있답니다.

오늘날의 진화론과 창조론

진화론은 단세포로 시작된 생물이 진화하여 오늘에 이르렀다는 생각이고, 창조론은 신에 의해 모든 세상과 생명이 창조되었다는 생각입니다. 기독교가 지배했던 유럽의 중세 시대에는 창조론이 크게 득세를 했습니다. 그러나 과학 혁명 이후 자연과학이 크게 발전했고 창조론 대신에 진화론이 더욱 인정을 받았습니다. 학교 교육을 받은 사람들은 종교관이 투철한 사람들을 제외하고는 대부분 진화론적인 사고를 하게 되었습니다. 그럼에도 불구하고 여전히 진화론과 창조론은 논쟁의 종지부를 찍지 못하고 있습니다. 이런 상황을 재미있는 비유로 말한 인물이 있습니다. 윌리엄 페일리라는 신학자는 창조론을 대표하는 인물인데 1802년 자신의 논문에서 길을 가다가 우연히 시계를 발견했을 때 그것이 어떻게 세상에 존재하게 되었는지 모른다 할지라도 대상 자체의 정밀함과 구조의 복잡함 때문에 다음과 같은 결론을 내릴 수밖에 없다고 주장했습니다. 페일리는 이 결론에 대해서는 아무도 다른 의견을 제시하지 못할 것이라고 주장했습니다.

윌리엄페일리

시계는 제작자가 있어야 한다. 즉 어느 시대, 어느 장소에선가 한 사람, 또는 여러 사람의 제작자들이 존재해야 한다. 그는 의도적으로 그것을 만들었다. 그는 시계의 제작법을 알고 있으며 그것의 용도에 맞게 설계했다.

그러나 진화론자들은 전혀 다르게 생각했습니다. 리처드 도킨스 같은 생물학자는 만약에 생물의 진화 과정에 설계자가 존재한다면 그는 필경 눈이 먼 시계공일 것이라고 주장했습니다. 이 말은 설계자(창조자)는 없다는 말입니다. 눈이 먼 설계자가 전지전능한 창조자가 될 수는 없기 때문입니다. 도킨스는 생물의 진화는 유전자의 정상적인 작동이 아니라 우연히 일어난 비정상적인 작동, 즉 돌연변이에 의해 일어난 것이라고 말합니다. 도킨스는 자연선택의 결과로 태어난 오늘날의 생명체들을 보면 마치 숙련된 시계공이 설계하고 수리한 결과처럼 보이지만, 실제로는 앞을 보지 못하는 시계공이 나름대로 고쳐보려 애쓰는 과정에서 번번이 실패를 거듭하다 정말 가끔 재깍거리며 작동한 결과라고 주장했습니다.

16

베르그송 창조적 진화

손영운 글 | 이남고 그림

01 《창조적 진화》를 쓴 사람은 누구일까요?
① 홉스　　② 루소　　③ 다윈　　④ 데카르트　　⑤ 베르그송

02 모방과 반대되는 말로 무언가를 새로 만들어 내는 것을 무엇이라고 할까요?
① 생명　　② 창조　　③ 에너지　　④ 진화　　⑤ 약동

03 자연 현상과 인간의 사회 현상을 기계처럼 돌아가는 법칙에 의해 설명하는 이론을 무엇이라고 할까요?

_____

04 다음 괄호 안에 들어갈 말은 무엇일까요?
• 기계 법칙 = 예측 가능 = (　　　)무가치
• 생명 = 창조 = 예측 불가능 = (　　　)중요
① 노력　　② 활동　　③ 공부　　④ 시간　　⑤ 운동

05 다음 사항에 맞는 낱말을 고르세요.
• 끊어지지 않고 계속 이어진다.
• 전체성이라는 특징을 갖고 있다.
• 베르그송은 이것을 진화 시간이라고 부른다.
① 연속　　② 계속　　③ 지속　　④ 영속　　⑤ 단속

06 다음 중 과학과 관련이 없는 것을 고르세요.

① 기계론　② 인과 법칙　③ 제작　④ 지성　⑤ 생명

07 '엘랑비탈'을 우리말로 표현해 보세요.

_____

08 다음 괄호 안에 알맞은 말을 써 넣으세요.

생명이 진화하는 과정에서 식물은 태양으로부터 에너지를 모아 두는 방향으로 나아갔고, (　　　　　)은 식물이 모아 둔 에너지를 소비하는 방향으로 나아갔다.

_____

09 다음 괄호 안에 알맞은 말을 써 넣으세요.

나나니벌은 배추벌레의 아홉 개 신경 중추를 차례로 아홉 번 쏘아 마비시킨 후 씹어 먹는데, 이런 행동은 학습을 통해 배운 것이 아니라 타고난 (　　　　　)으로 하는 것이다.

_____

10 《창조적 진화》에 의하면, 생명성의 정도가 커질수록 긴장의 정도도 커지고, 반대로 물질성의 정도가 커질수록 이완의 정도도 커집니다. 그 이유가 무엇인지 '비탈길'이라는 단어를 넣어 서술해 보세요.

베르그송의 '기억'

베르그송의 저서 중 《물질과 기억》은 그가 말하는 지속의 개념을 기억에 접목하여 발전시킨 연구가 담겨 있습니다. 이 책에서 베르그송은 기억을 다음과 같이 설명했지요.

연속적인 변화(지속)를 순간적으로 파악한 '이미지'
➜ 그 이미지들을 뇌라는 또 다른 이미지를 통해 포착해 형성한 '지각'
➜ 이 지각에 의해 구성된 것 '기억'

그리고 베르그송은 기억이 신체와 정신에 동시에 작용하여 결과적으로 그 둘을 연결 짓는 매개가 된다고 생각했습니다. 예를 들면, 어떤 노래를 여러 번 불러서 외우는 것은 가사를 기억하는 것이고, 그와 동시에 그 노래를 부르며 놀았던 소풍을 떠올리는 것은 특정한 하루를 기억하는 것입니다. 이때 내가 가사를 외우거나 소풍 갔던 걸 떠올리는 행위는 현재이며, 그 사건이 있었던 것은 과거입니다. 기억은 이렇게 나의 과거를 현재와 연속시키는 역할을 하는 것이지요.
베르그송은 반복된 신체 활동을 통해 습득하는 기억을 습관기억, 어떤 노력 없이도 떠오르는 기억을 이미지기억으로 나누었습니다. 습관기억은 삶의 유용성을 목표로 구성되는 반면, 이미지기억은 그것과 관계없이 무의식적으로 구성된다는 차이가 있지요.
베르그송의 이러한 기억 이론과 관련이 깊은 소설로 '의식의 흐름 기법'으로 유명한 프루스트의 《잃어버린 시간을 찾아서》가 있습니다.

통합교과학습의 기본은 세계사의 이해,
세계대역사 50사건

제대로 알차게 만든 교양 세계사 만화!
우리 집 최고의 종합 인문 교양서!

★ 서양사와 동양사를 21세기의 균형적 시각에서 다룬 최초의 역사 만화

★ 세계사의 핵심사건과 대표적 인물을 함께 소개해 세계사의 맥락을 짚어 주는 책

★ 시시각각 이슈가 되는 세계사 정보를 지식이 되게 하는 재미있는 대중 교양서

김창회 외 글 | 진선규 외 그림 | 232쪽 내외